Ⓢ新潮新書

佐藤誠一郎
SATO Seiichiro

あなたの小説にはたくらみがない

超実践的創作講座

967

新潮社

あなたの小説にはたくらみがない　超実践的創作講座◆目次

第一章　小説指南書には要注意

小説を書く理由を今いちど問い直す季節

　近年とみに小説の書き方本を目にするようになった。プロの作家の手によるものが大半だが、読んでみて、なるほどこの作家は小説をこういう風に捉えていたんだということがよく分かって、編集者としては興味が尽きない。

　その一方で気になるのは、一般読者、とりわけこれから小説を書こうとする人たちにとっては、何せプロフェッショナルが指導するのだから間違ったことを言うはずがないと、その内容を鵜呑みにするのではないか、ということである。

さらに、である。これらの書き方本は、何のために小説を書くのかという根元の部分が素通りされている気がする。あなたは小説を書きたい、しかも作家である私を信用してこの本を手に取った。ならばあとは、ハウツーの部分を私の経験に則して開示して差し上げるだけで十分なはずだ——そんな理屈である。

かく言う筆者は出版界に身を置くこと四十年、その年数分だけ小説やノンフィクションの編集に携わってきた現場人間である。

幻冬舎ルネッサンス新社のホームページに、この業界の大先輩である見城徹氏の名言が載っていた。曰く「表現とは究極の自己救済」。まさに至言であって、小説に限らずひとまとまりの言語芸術を完成させる目的は、これ以上でも以下でもない。

ただ、この現代社会では、「世界で唯一無二の作品」を書こうという無数の書き手がいて、その作品の優劣をめぐって新人賞という名のコンペティションが盛んだ、という現実がある。そして多くの場合、そのコンペティションによって作家デビューが叶い、そのことで初めて著者の眼前に文芸マーケットが拡がるのである。

作家の数だけ「書き方」はある

この事態をふまえて、現役作家による「書き方本」がはびこるのだから状況は複雑である。書き方本の極北には、新人賞をとって作家になったあとの、ひとつのビジネスモデルとしての作家業が語られているものまである。

私が駆け出しの編集者だった頃は、もうすでに活字離れが叫ばれていて、出せば売れる、増刷がかかるという時代ではなくなっていた。同年生まれでデビュー作品に関わったある作家が、第三作目にあたる小説を執筆していた時、私にこう尋ねたものだ。いつ、どんな頃合いのときに、筆一本で食えるようになるんですかね、と。

この作家は今も健筆をふるっていて、稼働年数三十年以上だから、まことに稀有な存在と言える。この現代日本では、実際のところ、バラ色の作家生活をマジで夢見る時代はとっくに終わっているのだ。それよりも、自己実現の一環として小説を世に問えるポジションを獲得したいという堅実路線のほうが主流であろう。生活の糧を得るための本業は別にあり、あくせくしないで作家稼業を兼業できれば、というスタイルである。

一九八〇年代前半と記憶するが、ル・モンド紙がフランスでの物書きの年収調査を行ったらしく、その結果が日本の新聞に小さく載った。円が無闇に強かった当時にせよ、十万フラン（約四百万円）以上の物書きはわずか七十人。たいていは、大学教授や博物館の学芸員、公務員などの定職を他に持っており、二、三年にいちど作品を世に問うというのが一般的だというのだ。こうしてみると、今の日本は先進国の仲間入りが叶った状態と言えないこともない。

しかし余裕のありすぎる執筆環境から傑作は誕生するのだろうか。何だか「自己救済」の地平に近いような気さえするではないか。

自己救済は、結果としてたいへん望ましいことだけれど、それが目的となってしまっては、そもそも作品を世に問う意味がない。マーケットの反応や世評ばかり気にするのはどうかと思うが、市場という奴は無視すべきでない何物かを持っているものだ。実際、「自己救済」ばかり図っていては、作品を一定以上のレベルにもってゆくことすら覚束《おぼつか》ない。この隙間に、ハウツー成立の余地があるのだ。

たしかに、書き手は自作が他人の評価に耐えうるものかどうか常に不安なことだろう。孤独な作業を続けるその心に忍び寄るかのごとく、実に様々な「書き方本」が跋扈することになる。

作家になって以降の人生にウエイトのあるものは稀だが、自分の新人賞受賞体験にひどくこだわり、その時の手法を金科玉条のごとく押し付けるケースや、当の作家が得意とするジャンルの資料収集法がやけに詳細だったりといった具合である。

やはり人は、自分の成功体験を普遍化したいという欲望が強いのだろう。

優れた作家による指南書の多くは、バイエル的教則本レベルはすっ飛ばして、ソナチネ、ソナタのレベルから説き起こして、ベートーベンを弾きこなせるくらいまでの指導を心がけているようだ。作家は小説を書くのが本業で、人に書かせるためのノウハウを、一から整理して理論化してゆくだけの熱意などあろうはずもないのだ。ならば、いきおい、上級者クラス向けの指導、しかも自分の得意ジャンル周辺でのそれに終始することになって当然である。

物語の女王かく語りき

その一方で、こうした問いはどうだろう。小説の書き方には基本があり、いわばその「型」を身につけて応用編に進むのだという指導が成立するのならば、完成した小説には「正解」があり、それと同時に「間違い」もあるということなのか——そんな問いである。極論すれば、小説の書き方指導も受験塾と同じ構造なのかどうか、ということ。

宮部みゆき氏がしばしば「小説って何でもありだから」と語っていたことが私の耳にこびりついている。同じネタであってもレシピは千差万別、出来上がった料理もシェフの数だけ味わいが違うのが普通だ、というわけだ。あれだけの名作の数々をものしている「物語の女王」の発言だけに重みがある。

宮部氏の言のその先には、小説作法に正解なんかあるわけないじゃない、という台詞が待っていることだろう。作家になる以前に肥やしにしていたリソースは、その七割が海外の翻訳作品だというから、方法論の巨大な森を持つ作家だからこその発言なのだ。

しかし、そう言われてしまった読者は、なるほどと頷くと同時に、小説という名の無限の荒野に投げ出されてしまうことだろう。ことに小説家を志す読者は途方に暮れてしまうのではないか。それならまだしも「書き方本」を書いてくれた作家のほうがよほどましだと考えるかも知れない。

ＡＩに小説が書けるか――そんな命題が近年とみに注目されるようになった。試行錯誤が繰り返され、掌編作品を扱う文学新人賞の候補作になるところまでいった、そんなニュースが話題になったものだ。研究者たちは、今後どんどんハードルを上げて到達点を高めようと努力している、らしい。

しかしながら私に言わせると、命題の立て方が曖昧すぎるか、根本的に間違っているかのどちらかである。

ＡＩはすでに存在する小説に関する情報を参照して「最適解」を提出するのが仕事であるから、既存コンテンツの上質なものを少しずつ加工し上手に組み合わせて、一定以上のレベルの小説を書けることだろう。いや書けて当たり前だ。

命題の立て方が曖昧だと言ったのは、その先のことである。小説の形にはなったとしても、かつ将来ハードルを上げてトライするとしても、より高い小説レベルとは何かという、目標というか条件づけのようなもの、これについての具体性が示されていないではないか。これがないことには研究自体が早晩行き詰まってしまうのは目に見えている。

また命題が根本的に間違っていると言ったのは、小説のオリジナリティの問題に関わるからだ。大げさな言い方だが、小説作品は、この世で唯一無二であることが保証された創造的行為の一つであり、だからこそデカデカと「©」（著作権表示マーク）がついているわけである。ＡＩのことを小馬鹿にするわけではないが、そこからひねり出されるのは「最適解」が精一杯のところ。どんなに見栄えがするものでも、ＡＩが書いたものは作品たるものの最低限の条件すら備えてはいない。

その最大の理由は、小説というものが、そもそも「他と異なる」ことを宿命づけられているからに他ならない。新人賞の選考会で「既視感がある」とか「先行作品の同工異曲だ」といった評価を受けることは恥辱そのもの。少々ぎこちない作品であってもオリジナリティさえ高ければ、「よくできたコピー」の群れから抜け出して受賞に至るチャンスをより多く持っていると断言できる。

アーティストかアルチザンか

AIは正答率百パーセントの受験秀才ではあるが、そもそも「正解」を必要としない小説の世界では無価値である。同じく、小説の書き方本が「正解」を強く打ち出すならば、AIと同様に小説のコンペティションには不向き、と言うことも出来よう。

AIにあえて関連づけてもうひとつ問題を提起するならば、「アーティスト」と「アルチザン」の境界はこのあたりにあるのではないだろうか。文芸評論の世界で、小説家を論ずるときによく使われる用語である。オリジナリティを目指して他者と異なろうとするアーティスト＝芸術家と、技術を生かして出来のいいコピーをたんたんと作るアルチザン＝職人と。

謙虚な作家ほど、自分は天才には程遠い存在であり、むしろ職人と呼ばれることに誇りを感じると発言するものだ。しかしアルチザンという言葉の本来の意味からすれば、著作権を主張できる作品の作者に対しては使えないはずだ。「自分はアルチザン」という言い方は謙虚な作家の奥ゆかしさの表れに過ぎないと理解すべきである。

と同時に、ＡＩは自分がアーティストなのかアルチザンなのかといった区別を意識したことのないアルチザンなのだということを、ＡＩに小説を書かせている研究者は分かっていてほしいものだ。

「正解」に至る家元制度の誘惑

「小説の書き方に一定のものがあるわけではないだろうが、しかし自分が信頼する作家の書いた指南書を頼りに、その説くところに従って『型』を身につけたい、その先は私のオリジナリティにかかってくることは承知している」

こんな訳知り顔の作家志望がいるとすれば、取り扱い注意である。こうした人物に限って、日本的な家元制度よろしく親分筋の芸の祖述者となることを目標にしているからだ。日本で家元制度が維持できている分野のひとつに小説がある、ということか。

受験勉強と違って、過去問をこなして訓練さえすれば「正解」に至ることができるわけではないから、この道は結構辛い。それゆえ「書き方本」に書かれたことを金科玉条のごとく鵜呑みにして実践する方が楽とも言える。家元制度の誘惑にあなたは勝てるだろうか。

「何でもあり」の自由は辛い。「自由からの逃走」をしたくなるのもわからないでもない。

しかし、こうした家元然とした現役作家たちの小説指南本に大きな欠陥があることは、あまり指摘されない。その欠陥とは単純至極で、内容がその作家が書いてきたタイプの作品群にしか当てはまらないということ。

当の現役作家も、このことに気づいている様子がない。とても不思議な現象だが事実である。サスペンス小説を基軸にすえた作家はサスペンス作品の構造を説き、それ以外の小説ジャンルの方がはるかに多く存在するのにもかかわらずそれらは無視されることになる。

小説家に小説指南をさせると間違いなくこうなる。私は編集者としてこう思い続けてきた。作家は自作のことだけ考えていろ、と。

作家による「書き方本」は究極の自著解説

自作についてのインタビューを受けたときの作家の姿勢が私は気になってしかたがなかった。作家が生身の自分を読者にさらしてどうする、もっと演出しろよ、と思い続けてきた。「これこれこういう意図であの作品を書いたんです、ある時、ある物を見たことがキッカケで、これこそ私の訴えたかったことです……」

作家が自著解説をやるようになったらもうダメだ。だって読者は好きなように読むだけだし、読み方、受け取り方に正解などあるわけがないではないか。作家が正しい読み方を押し付けてどうする、というのが私の一貫した考えである。

逢坂剛氏は「百舌《もず》シリーズ」を始め多くの映像化作品を持つ小説界の巨人だが、自作の映像化に当たって制作側に何ら注文を付けたためしがない。理由を聞いてみると、「原作小説と映像化作品は全く別のものだから」との答えが返ってきた。映画界やテレビ界の人たちが、逢坂作品のどこを取り上げどこを評価しどこを割愛の対象としようが自由ではないか、というわけだ。読み手に書き手の意図を押し付けてどうなるよ、という都会人らしい美学でもあろう。

「書き方本」には、しばしば「実践編」のようなものがついていて、指導する側もされる側もすさまじいエネルギーを使っていることがよくわかる。双方のやりとりもハイレベルで、目的さえ同じならばすこぶる有効であることだろう。

しかしその姿が、近ごろ流行っている個別指導の受験塾さながらに見えるのも事実である。小説界の東大とか早稲田という共通の目的があり、その意味ではひとつの「正解」に向かって進むのだ。これじゃあ文科省の指導の下、シラバスを作ってそれ通りに学習を進めさせる手つきと瓜二つではないか。

小説って何でもあり、じゃあなかったのか。ＡＩのやり口に人間が近づいてどうしようというのか。

小説指南書の最適格者とは

「書き方本」の指導のディティールが、結果としてその著者が実践してきたジャンルに限定したものとなっていることは先に指摘しておいたが、ついでに言ってしまおう。その指導のディティール、これが、結局のところ自著解説として読めてしまうのだ。

やっぱり小説家は自作のことだけ考えて一生を終えたほうが身のためだと思う。

とは言え、小説作法の指導を偏りなく行える位置に誰がいるというのだろう。人間に限定しなくとも良いが、どんな立場からならそれが多少とも可能なのか。

名監督、名コーチは元名プレーヤーからは生まれない。名伯楽の資格者は、すべて自分に「不完全燃焼感」のある人たちに限られるからである。また、自分より才能のある人に希望を見出すタイプであることも必要条件だ。小説家は自分以外の作家すべてとライバル関係にあるから、この点で失格である。キリスト教世界でいう七つの大罪の一つである「嫉妬の罪」は、九十九パーセント、その自覚のないまま立ち現れるのが習い。特に男の嫉妬ほど怖いものはない。

もし、才能の芽を持つ「あなた」に、小説の指南ができるとすれば、それは編集者以外には考えにくい。なんだそんな結論かよと言うなかれ。編集者には世にも稀な美点が備わっているからである。それは、人の褌《ふんどし》で相撲を取ることに慣れ切っているということだ。人の褌で自己実現したいと思ってしまう人種、と言い換えた方がビジネスモデルっぽいか。世に言う「黒子」説なんか浅い浅い。編集の勘所はそんなところにはありませんから。

二十年も編集者をやれば、いろんなタイプ、いろんなジャンルの小説を担当するだろうし、ノンフィクションや教養書を扱うことによって小説との違いや意外な共通点が分かっているはずだ。記者としての記事作成のハウツーをも身につけているかも知れない。そうした幅広さは、ひとりの作家が持ちうる属性を遥かに超えていよう。

加えて、編集者は、一般人よりも自己主張が強いが、小説家やジャーナリストには遠く及ばない。そして何よりもいいことに、自分を超える才能に出会って、見たこともない世界に連れて行ってくれることを願ってやまない種族なのだ。

私は三十年もの間、髙村薫氏の担当編集者であったという幸せ者だが、告白すれば、作品に対して意見したり注文をつけたりしたのは最初の十年ほどのこと。そのあとは、彼女が見せてくれる人類未踏の世界で呆然としていただけである。そこで意識を失わずに生還したというだけで称賛された。

まあ、現実の文芸編集者は、実は今、部数を差配する営業・PRや売り上げを左右する宣伝部などとの社内交渉にばかり忙殺されているのだが、その現実には触れずにおこう。このあとの本編では、マーケットを気にすることなく、作品の品質向上のみに目的を絞って、編集者の立ち位置から書き進めたい。

コラム　ツカミのある冒頭　その①「静止画」

読者の心をわしづかみにすることを「ツカむ」と言い、小説やノンフィクションでは読者を夢中にさせる「ツカミのあるシーン」を比較的初期に置くことが求められる。本コラムでは、作品の冒頭付近にそうしたシーンのある例をいくつか紹介してみたい。

近代日本文学には「いわく付きの写真」が冒頭に出てくる名作が多い。

「私は、その男の写真を三葉、見たことがある」と、主人公の姿を写した古い写真の背景を語り始めるのは御存じ『人間失格』だ。被写体の二度にわたる劇的な変化を語ったあとで「恥の多い生涯を送って来ました」と第一の手記が始まる。

三島由紀夫の『獣の戯れ』の第一行は「この写真が最後のいたましい事件の数日前に撮られたものだと想像することはむずかしい」となっており、被写体となった主要登場人物三人の、楽しげな様子の陰に潜む何物かが暗示されている。

山口瞳の『血族』もまた、冒頭に古いアルバムを配し、見慣れた家族写真の中に謎を発見するところから、著者自身の家系の暗部を探る旅が始まるという構成だ。

南洋の楽園の映像をドローンに搭載されたカメラで追いかけるような、不思議な快感を最初のシーンで読者に運ぶのが、天童荒太『ペインレス』だ。種明かしをすれば、これは脳内の痛みを司る部位の医学的画像なのである。

太宰、三島、山口、天童の四作家は「静止映像」で読者をいきなりツカんでいる。

第二章　小説の物差しはどんどん変化している

傾向と対策が機能しない！

作品を書き出す前に「傾向と対策」から始める人が結構多い。どんなジャンルでもどんなタイプでも自在にこなせる万能選手ならいざ知らず、そうした準備なら無用に願いたい。

なぜなら、小説を評価する価値基準それ自体が刻々と変化するからである。そうした「傾向」が気になってしかたない人たちにとって、厄介きわまりない現象である。

さらに微分的な話をしよう。ある新人賞で多重人格を扱った作品が二年続けて最終候補となったとする。そのことをもって「この新人賞は多重人格モノを重視する傾向にある」と言えるだろうか。答えは「ノー」だ。新人賞がカバーする領域が偏るのを避けるため、次の年には多重人格に少しでも関係ありそうな作品を排除するベクトルが働くからである。

また、仮に、多重人格モノが受賞に至ったニュースを知って、じゃあ、自分は心理ミステリーを書いて応募しようと思い立った人がいるとしよう。その書き手は苦心の末、一年の歳月をかけて作品を完成させたが、書き始めた時点から二年後に応募するというタイミングになってしまった。そしてその時点ではすでに選考委員の半数が入れ替わり、心理ミステリーの歓迎される余地が小さくなっていた……。こうした事態は決してレアケースではないだろう。

私に言わせれば、書きたいものを書くのが一番。完成した時点で、カバーするジャンルや締切、制限枚数といった条件に適う新人賞を探せばいいではないか。

そもそも「傾向と対策」って受験戦争用語でしょうに。受験戦争のライフモデルから抜けられない人はキャリア官僚やエリート社員に多く、創造性が命の自由競争の場でもこのスタイルから逃れられないはずだ。それればかりか彼らは、世の中の本当の流れに気づくのに、他人より余分に時間がかかってしまうのが実態ではないか。

世の中の小さな変化にばかり気を取られて汲々としている「微分人間」たちは、もっと大きなウェーブを見逃しがちである。その証拠に、市場動向を日々分析しTVの視聴者などに解説する経済アナリストたちは、リーマンショックどころか日本のバブル崩壊すら予言できなかったではないか。一九八九年末には、日経平均株価が「八万円となる日が近い」と説く評論家がいたり、九〇年にも、自らが講師を務める株式教室で「十万円も夢じゃない」と言っていた大物国会議員もいたものだ。彼らの予測がことごとく外れることは、今もって何ら変わっていない。

変化に次ぐ変化――エンタメ小説市場の四十年

過去においてどんな小説が好まれてきたか――その近年の流れを、私の編集者生活四十年という限定つきながら、ざっとご紹介しよう。

私が出版界に入った一九七〇年代末の小説市場は、娯楽性の強いミステリー物やSF系、バイオレンス系が席捲していた。

八〇年代中葉あたりから海外エンターテインメント作品の大ブームが到来する。時を同じくして、海外ミステリー＆サスペンス系を読んで育った世代の書き手の台頭が目立つようになる。やがて海外作品と肩を並べるようなハイレベルな作品が次々と出現する。もちろんこれは市場での需要を反映する現象でもあったろうが、質量ともに右肩上がりのグラフを描いたわけである。

こうした現象の特筆すべき副作用は、重厚長大を地でゆく大長編への嗜好であった。バブルの勢いもあって、ハードカバー二段組み数百ページといったものも珍しくなかった。

だがそれも九〇年代半ばを境に下火になり始め、やがてミステリー全般が売れなくなってくる。ミステリーに取って代わったのがファンタジーや恋愛小説だった。恋愛小説ブームの担い手となった女性作家の活躍は「男流文学」の偏った伝統的女性像を粉砕する恰好となったが、ブームとしては決して長続きはしなかった。

一方のファンタジーはゆったりとした成長曲線を描きつつ今日に至っている。因みに、重厚長大化現象は一回性のものだったと見えて、二十世紀末から二百ページ台半ばをスタンダードとする元の状態に戻ってしまった。

二十一世紀に入ってからのトピックスとしては、ミステリーとSFの復活が挙げられる。SF界に光明が射したのは本当に久々のことだ。SFそのものだけでなくSF的な設定が広く用いられ始めたことも大きい。そしてエンタメ界の王者・ミステリーは、狭義のジャンル性においてよりも、「何でもかんでもミステリアスに書く」精神の一般化において復活したとも言える。ミステリーは、ジャンル名から、すべての小説に応用可能な「手法」を指すツール名に変貌したのである。

ブームに惑わされっぱなしの編集者

私は一貫して文芸編集者の立場にいられた偶然の事情からよく分かるのだが、編集者という種族はこうしたマーケットの動きに寄り添って動くものだ。編集者が作家に求める作品のジャンルもまたその内容も、その都度大きく変化していったのである。いきおい、編集者の小説に対して求める価値基準も変動を余儀なくされる。

この変動に編集者自身気づかないことが多い。

また文学賞というやつも、選考委員の誰それがということではないが、その評価基準は変動し、選考メンバーもどんどん入れ替わってしまう。

作家も編集者も、「時代の子」であることには変わりがない。小説の「物差し」がセンチからインチにいつの間にか変わると、出版界ではずっと以前から単位がインチだったかのように振る舞うのが通例なのだ。

信長や龍馬人気も、源氏物語でさえも

織田信長や坂本龍馬の人気度が、昔からそうであったと錯覚している人が多い。

龍馬については、その先進性や交渉力を司馬遼太郎氏が「発掘」して初めて一般人に名を知られるようになったが、このことは多少とも人口に膾炙《かいしゃ》しているだろう。だが信長人気についてはどうか。

戦前までの戦国の三傑、すなわち信長、秀吉、家康の人気度を比較すると、断然抜きん出ていたのは秀吉である。関西限定ということでなく、太閤人気は全国的なものであった。多分、朝鮮半島に攻め入って中国本土を狙う国家拡張路線が時代の空気に合っていたためだろう。信長はというと、もともと歌舞伎では青い隈取の「敵役」だったのだし、庶民の間での人気は高かろうはずもない。やはり戦後の高度成長期の気分に信長の先進性が合致し、その人気を押し上げていったのだろう。

家康はどうか。明治になって後の徳川家は新政府の敵役だから、家康関連情報として

マイナス評価につながるものしか流されなかった。そのため三傑と言われながら人気度は第三位に甘んじていた。これが第一位の座を窺いはじめるには、山岡荘八による大長編が書かれ、高度成長期が終わって堅忍不抜の時代が忍び寄ってくる予兆のあった一九八〇年代初期まで待たねばならない。

そうは言っても『源氏物語』だけは一貫して高く評価され愛読され続けたに違いないと、多くの読者は思っておられるのではないだろうか。しかし、武家政権の時代になると、男女の色恋沙汰をテーマにしたものは為政者から遠ざけられるようになる。良家の女性たちはいざ知らず、朱子学を官学とした江戸時代では、源氏の「手弱女《たおやめ》ぶり」が、教養ある男子の生育の邪魔になる「みだりがわしい」ものとされた。賀茂真淵や本居宣長の登場で源氏学は最高潮に達したものの、源氏物語の市場価値は決して揺るぎないものではなかった。

「キャラ立ち」狂騒曲

文芸がいかに時代風潮に左右されるかについては、昭和の文壇華やかなりし頃を活写した大村彦次郎氏の『文壇うたかた物語』に始まる三部作に詳しい。「文学」が小説全般の腰を支えていた時代ですら、小説を評価する眼はけっして不動のものではなかった。

文芸が娯楽の主役から降りて以降、売れる作品の傾向を「微分」したがる編集者が増えてゆくのは、商売だから当然のことだ。何が原因で売れたのか、売れなかったのか。編集者は半ば営業マンと化して、売れるための「傾向と対策」に血眼《ちまなこ》となる。毎日の微分活動から大事なものの大きなものを失うことに気づかなくなる。

だが、一つだけそうした活動の成果があがったケースがある。それは「キャラ立ち」という流行語に集約できそうだ。近年の文芸のヒット作に共通した要因、それは人物造形の面白さ、英語で言えばキャラクターだということが「発見」され証明されたのである。二十一世紀初頭の書店の店頭では、「主人公のキャラ最高！」「脇役のキャラ立ちが見事」といった文字がＰＯＰやポスターに踊っていたものである。

さて編集者は次にどう行動するかと言えば、作家に対して「キャラ立ち」のいい登場人物を強く望むようになる。

小説における「人物造形」というファクターが、小説の評価基準として最重要視される一方で、編集者は自らの評価基準の変更に無自覚であった。各社の文芸関連編集部でこうしたことが重なるようになると、知らず知らずのうちにスタンダードが変化してゆき、ひいては新しいブームが起きたり昨日までのブームが終わったりするのだろう。

小説を評価する際の五大要素とは

先に触れた『文壇うたかた物語』や『終戦後文壇見聞記』（大久保房男）に出てくる作家たちの合評会や文学賞の選考風景を見ると、小説に人生を賭ける姿勢や思想性が熱心に論じられていて隔世の感がある。その反面、小説を要素に分けて分析的に論じている場面にはあまり出喰わさない。

殊に、「構成」といった用語が本来とは違う意味で使われていて理解しにくいことすらある。

文芸華やかなりし頃の大物作家や先輩編集者の作品評価基準を、「文壇」の後ろ姿を辛うじて知る私世代の言葉でザックリまとめると、「一に文章、二に主題、三、四がなくて五に筋」というふうに要約できるのではないか。文章表現力とテーマの他に、「筋」という極めて曖昧な用語しかなかった点は、現代人の眼からすると奇妙ですらある。さらに人物造形はどうしたのか、といった疑問もわいてくるが、プロなんだから「キャラ立ち」など言うまでもない、ということかも知れない。

かつて「海燕」というエッジの立った純文学雑誌の編集者として根本昌夫氏の薫陶を受け、現在は新潮文庫編集長の佐々木勉氏が、一九九〇年代中葉に小説の五大要素というものを提唱し、早稲田大学等の講演で説く一方、後輩編集者たちに伝えてきた。

それらの要素とは、

①文章　②テーマ　③物語性　④人物造形　⑤同時代性

この五つである。私自身もこれには疑問の余地がない。

古巣である純文学雑誌に身を置いていたころの佐々木氏は、この五大要素のうち①と②を重視するタイプの編集者であった。どちらかと言うと、セールスを犠牲にしてもクオリティを、というタイプだろう。

これが新潮文庫という業界最大手の編集部にリクルートされるや、クオリティと面白さとセールスを同時に満たすよう求められた。航続距離と旋回性能と速度という相矛盾する三要素を同時に満たすことを軍から要求されたゼロ戦開発物語のようなものだ。クオリティと面白さは相反することが多いし、セールスとクオリティもまた然りである。

結果として佐々木氏は、日夜③④⑤を追求する編集者に「転進」したという次第。これをもって日和見主義というなかれ。一人の編集者の内部で、小説の持つ要素についての「価値の相対化」が起こり、彼のサジェスチョンのお蔭で我々は、これら五大要素の順位が、小説ジャンルによっても変わり、時代の変化によっても変わることを観察できるようになったのである。

先に触れたように、かつては①の文章表現力と②のテーマ性、この二つが、長く小説の評価基準そのものであり、筋＝ストーリーの上位にあったわけだが、それ以外の要素あるいは評価基準が存在しなかったということでもある。

戦後の復興が緒につき、高度成長期を経て日本経済が頭打ちになるまでの、少なくとも半世紀のあいだ、小説界ではその方法論に関して議論らしい議論が為されなかったのだ。そう断ずると諸先輩から猛反発を食らいそうだが、悲しいかな事実だから仕方がない。

私の先輩編集者たち、ことに文芸に携わる彼ら彼女らは、おしなべてテーマ性と文章力の物差しで作品を評価したり切り捨てたりしていた。個人的には「小説はやっぱストーリーでしょう」と考えていたが、議論を吹っ掛けるには少数派に過ぎた。

ガイジン曰く「日本の文学は面白くない」

面白くない小説を、私は読む気がしない。「面白い」と言っても様々だろうが、一般にはストーリーの面白さが上位に来ることに異論はなかろう。

しかし、私の大変世話になった先輩編集者は常に私をさとしたものだ。「面白さを基準に作品を見るのは邪道だ。君は奇抜で意外性のある作品ばかりに価値を置きすぎる」と。

小説好きの外国人で日本文学もそこそこ読んでいる人たちに話を聞くと、ひところまでの日本の文学作品は「たしかに優れたものも多いが、面白くはないよね」という声が大半であった。小説が制作される現場作業に携わる者たちが「面白さ」を求めないのだから、そう思われるのも道理だ。

それとも面白さの質が変わったのだろうか。あるいは物語性以外の面白さが追求され続けてきたことに気づけなかっただけなのだろうか。一九八〇年ごろの私の疑問は今でも脳裏にしこっている。

ともかく、このころには、面白くはないが質の高いとされる小説を「面白くない」と言ってはいけなかった。ストーリーが楽しめないので面白くないとは素人の弁であり、編集者が口にしていいことではなかったのである。

しかし「王様は裸だ」と公言する実力派作家が私のすぐそばに現れた。逢坂剛氏である。「面白くないものは小説ではない」と事あるごとに言う逢坂氏だが、考えてみると彼の小説脳は海外文学を肥やしにした部分が大きいから、それも当然かもしれない。

キャラ立ち最優先の時代の次には……

この逢坂氏が『カディスの赤い星』で直木賞を受賞した八〇年代半ばあたりから小説界の状況は変わってきた。日本のミステリーを始めとするエンタメ小説が質の面でも欧米と肩を並べるようになり、そのことを文芸のオーソリティが追認せざるを得なくなったわけだ。文学賞の選考基準にストーリー性を重視する旨が盛り込まれ、従来の「あらすじ」という用語は、企画性を含んだ「プロット」という言葉に置き換えられた。

ミステリー作品が頻繁に文学賞を獲得する時代は、物語性が最も重視された時代と重なっている。そしてミステリーがその全盛期を過ぎてセールスが芳しくなくなった頃から、「キャラ立ち」の時代が幕を開けるのである。ストーリーも大事には違いないが、面白いキャラクターが登場すると大いに「受ける」から、それをバネにして作品を盛り上げ、市場もまた盛り上げようという季節の到来であった。

さて二〇二〇年代に入った現在、小説の五大要素の中でとくに突出しているものは見当たらない。文壇の存在した時代には叫ばれることのなかった「人物造形」がクローズアップされて小説の重要ファクターに加えられたことは、大きな変化だが、二〇二二年は「キャラ立ち」をことさら声高に言いたてる時代ではなさそうだ。

やはり、どう考えても次の時代に作家が強く要求されるのは、テーマ以外にありえない。理由はもちろんコロナ禍である。世界地図の中では局地的なものにとどまった大震災と違って、このたびの災禍は、世界中で社会観や人間観の大変化をもたらし活発な議論を巻き起こし続けている。

哲学界の若きエースであるマルクス・ガブリエルは、コロナ禍をきっかけに実に様々な具体性ある提唱を、全世界に、またサイバー空間に向けておこなってきた。そこには微分的見地とは真逆の「積分的」精神がみなぎっており、世界像が大きく変化しつつあることを実感させてくれる。ロシアによるウクライナ侵攻は、さらなる変化をもたらしている。

欧米のビジネス界も同様で、BCG＝ボストン・コンサルティング・グループによれば、「先をどう読んでプランニングするか」よりも「先が読めないことを前提としたマネジメント」に舵を切っているらしい。少し前まで「資金を調達し商品開発をしていかに利益を上げるか」だったこの世界も、哲学を求められる時代に遭遇して、企業の「テーマ」が変わったのである。

エンタメ小説の世界でテーマが最重視されるとすれば、おそらくそれは日本史上初のことだろう。なにしろテーマ性は純文学の専売特許のように思われていたからだ。テーマ探求の場では、哲学や社会学といった分野ばかりか、数学だったり生物学だったりといった世界を覗く必要も出てくるはずで、小説を書くための武器が、文章表現力や感受性といったもののみに留まっていては、これからの時代、一行も書き出せなくなるのではないか。

小説の本卦還り

私の編集者人生の四十年間に、以上に見てきたような変化が起こった。マーケットにおける読者の嗜好の変化は当然として、小説を書く際に意識すべきポイントも変われば、それを評価する際の基準もまた揺れ動いた。

これから小説を書こうとする方々に申し上げたいのは、好きなように書くのが身のためですよ、ということだ。これだけ小説の「物差し」が変化してきたのだ、昨日までの「傾向と対策」などすっかり捨てておしまいなさい。

さきほどから力説している「テーマ」についてなら、いくら研究しても微分的な行動そのものである「傾向と対策」の罠には落ちないので心配は無用だ。

テーマには作家の世界観が色濃く反映するものだ。テーマこそが、小説の五大要素の首位を占めるべきものとしてクローズアップされる時代であることだけは間違いない。考えてみると、これは小説の本卦還りではないか。やはり人類は転んでも只では起きぬものらしい。

コラム　べからずの部屋　その①「竜頭蛇尾」

小説を書くにあたって、あまりお勧めできない事が数々あり、プロアマ問わず実例に事欠かないが、それら「べからず事項」の幾つかをこのコラムで改めて検証してみたい。

　冒頭にツカミがあって、それに続くヤマ場では大いに盛り上げたものの、中盤以降になると急に息切れし、最後のクライマックスらしき部分も何だかドタバタしているだけ――この手のものを古来「竜頭蛇尾」という。世にこのケースのなんと多いことか。

　読者に訴えるべきテーマはラスト付近になって初めて真の姿を現すはずだから、後ろに進めば進むほど面白く、深みも増してゆくように書かねばならない。それが出来ていないとすれば、理由は三つしかない。
①実はプロットもテーマも、前半部分で消費されると、それ以上の展開を望めない程度のスケールにすぎなかった
②構成上のペース配分を無視して前半戦に着想の大部分を投入してしまった
③後半のプロット展開を詰め切れぬまま書き始めたが、自分で提示したたくらみのロジカルな結末が用意できなかった――
　あなたはどれに当てはまりますか？　とはいえ、竜頭蛇尾の作品ということは、少なくとも前半はいい戦いぶりだったわけだ。構成上のアンバランスはないものの、

全体に低空飛行でヤマらしきものが見当たらないような小説より百倍マシである。面白い着想を得たら、ゆっくり時間をかけて展開を考え抜くことだ。読者を驚かせつつ納得させ感動させる、そんな「ロジック」が用意できるまで書くのを我慢しなければ、せっかくの着想がムダになる。

第三章　「起承転結」はウソかも知れない

「承」って何？

先ごろ、年下の結構尖った編集者と、小説の構成について話していたら、
「『承』って、あんなもの要らないんじゃないスか」
と言う。私も同じ考えだったので嬉しく思ったのだが、彼の話はより具体的であった。

SFやライトノベルの世界に多発する現象として、こんなことがあるらしい。冒頭のツカミのシーンはそこそこ面白く描けたとしても、ツカミの後をうけて、作品の設定を細々と説明したり登場人物のキャラを工夫を凝らして紹介したりするのだが、ここが退

屈で仕方がないと言うのである。物語の進行を止めて、自分の構築した世界の仕組みやその構成員について事細かに語ったところで、誰も耳を傾けてはくれないのが道理で、下手をすれば作家の自己愛のヴァリアントに見えてしまう。

物語の進行を止めてまでおこなうほどの素晴らしい「説明」など滅多にありはしないのだ。

よい作品ほど、例えば近藤史恵氏の『サクリファイス』が、自転車競技における実戦さながらのトレーニング風景のなかに人物紹介を「織り込んで」ゆくように、説明のために小説内時間をストップさせる必要はないのだ。

「承」無用論を唱える彼は、小説の制作現場での経験からそれを導き出しているわけで、とても説得力があった。

中国起源で文科省公認なのだが……

作文の構成といえば、昔から「起承転結」が定番だ。

もともとは五言絶句などの漢詩の形式に由来する構成論で、なるほど漢詩を前にすると、美的な意味でも論理的な意味でも納得せざるを得ない。

しかし、映画のシナリオ理論として有名な「三幕構成」では、「承」の部分がそもそも存在しないことをご存じだろうか。

「三幕構成」は脚本家シド・フィールドが理論化した構成論で、アメリカの映画界で日々実践されているためにハリウッド方式と呼ばれることも多い。対象が映画だから、一幕、一場にかける時間配分まで細かく決めてゆこうとする傾向が強い。

さて、彼の構成論には「承」に当たるものが想定されていないのだが、欧米の構成理論は、もともと「承」を欠いているのが普通であるようだ。

何かにつけて欧米追随をモットーとするこの国で、作文教育から「起承転結」理論を外さないのはなにゆえだろう。この構成論がすでに日本人の血肉となっているために、切り捨てることなど最早できないのだろうか。

いや、日本の作文指導を思い返していただきたい。国語の先生から構成について学んだ記憶があるだろうか。実際のところは「あなたの感じたまま、思ったとおりを書きましょう」という指導が中心だったはずだ。形にとらわれず自由で自然な文章。これが理想だから、フランスのリセで「五つの段落を持つ、論理のしっかり通った作文術」の鋳型にはめるようなことは、我が国では考えられなかった。極論すれば、日本の作文教育ではロジックの必要性が無視されてきたのである。

自由自然がモットーだから、日本の子供たちはマスコミにマイクを向けられたとき、バカ丸出しの画一的で短かすぎる感想しか口にできず、フランスの餓鬼がこましゃくれた講釈を垂れるような場面には絶えてお目にかかれない。

「承」の行方

ということは、「起承転結」とは半ばお題目にすぎなかったのかも知れない。しかし問題の「承」が必要か否かについて、明確に否定することは差し控えたい。なぜなら、「承」の部分に思わず唸らされるような件《くだ》りを持ってくるトップランナー作家たちがいるからだ。名手の手になる「承」は十分に面白いのである。

それにつけても思い出されるのは『源氏物語』の「承」にあたる「帚木《ははきぎ》」だ。「雨夜の品定め」で有名な巻である。五月雨の夜、宮中に宿直する頭中将ほかの男たちが光源氏の部屋に集まって女性談義に励むという趣向となっていて、十七歳の光は概ね聞き役なのだが、この巻以降に見せる光のエネルギーがジワジワと蓄積されてゆく感触がある。すべての発端となった「桐壺」の巻での事件を受けて、ここでは具体的な動きこそないものの「予感」に満ちあふれた絶妙の緩徐楽章が奏でられているわけだ。

つまり、今はこういうふうに理解してはどうだろう。起承転結の「承」は実力がついてから試みればよいのだ。ここを完璧にこなせる作家は、そうそういないのだから。

三幕構成はソナタ形式

先ほど触れておいたが、三幕構成理論においては、一幕分に要する時間を指定してある。映画は平均的に言って約二時間の尺を持つ、いわば時間芸術だから、例えば第一幕に三〇分、第二幕に六〇分、第三幕に三〇分というふうに配分してあるわけだ。

これは小説にあてはめるならばページ数に相当するものだ。全部で三〇〇ページの小説作品であれば、第一幕に当たる部分が七五ページ、第二幕が一五〇ページ、第三幕が七五ページという配分になってくる。実際、ページをめくる読者からすれば、その時間のかけ方は音楽や映画と同じだから、言語芸術である小説は、実は時間芸術でもあると言える。

オーソドックスな小説の構成が時間芸術のどんな理論から来ているか、と問うならば、答えはただ一つしかないではないか。

それは「ソナタ形式」である。

クラシック音楽用語として人口に膾炙したものの一つであり、時代が下っても盛んに使われる形式だ。まずツカミに比定される主題提示部があり、続く主題展開部で大きな盛り上がりを見せ、そのあと主題再現部で最後のクライマックスが現われ、コーダと呼ばれる主題から少し離れた要素を加えつつ幕を閉じる。

好例がベートーベンの第五交響曲の第一楽章で、仮に音量の大きさをクライマックスの指標とすれば、約八分の演奏時間の中で、主題提示部、主題展開部、主題再現部それぞれの長さがほぼ均等に配分され、大音量が響くクライマックスが三か所存在することに気づくことだろう。まさに三幕構成そのものなのである。

クライマックスが三度なら、ターニングポイントは二度

三幕構成の内容についてはネット検索すればずいぶん詳しく紹介されているので、ここではごく大雑把にだけ触れておく。

まず冒頭第一幕で主人公が何事か非日常的なことに遭遇する。そこにテーマの一部が顔を出す。主人公は何とか苦難を乗り切るが、解けない謎が残る。このあと、ふとした

ことがきっかけとなって第二幕へ。主人公と脇役たちを巻き込む大きな事件が起こり、テーマ展開に必要な全要素が示される。ここで第一幕で提示された謎がいったん解けたかに思われたが、謎はかえって深まってゆく。主人公は傷つき、彷徨《さまよ》った末に、意外なものに出会う。終幕では最大級の苦難、ジレンマ、危険が主人公たちを待ち受けており、彼らは対立したり協力したりしながら障壁に立ち向かうが、その過程でテーマが意外な方向にむかって展開しはじめ、そのことでついに謎が解明され、かつテーマの最深部が開示される。そしてラストは、中盤までに描かれた、主人公をめぐる恋愛関係などを扱うサブストーリーに決着をつけながら、敵役や盟友等に死者を出しつつ感情面で過不足のないように終わる。

さらに簡略に図式化してみよう。

①冒頭が読者を引き込むための「ツカミ」になっている。
②クライマックスが「ツカミ」を除いて二度存在する。
③クライマックスの前に二度の「意外なきっかけ」があり、局面をガラリと変えるためのターニングポイントになっている。

エンタメ小説は「ツカミ」が大事、そして二つ以上のクライマックスを持っていなければいけない――このことは小説家の手になる複数の「書き方本」にも書いてあること だ。結局のところ、それらの書き方本は三幕構成を勧めているということになろう。

ただし、クライマックスを重要視するあまり、それをもたらす「ターニングポイント」の大切さがあまり強調されていないところに書き方本共通の欠陥がある。

誰も「統一理論」を示そうとしない

さて、この三幕構成を「起承転結」と照らし合わせてみるとどんなことになるだろうか。「転」が字義どおりターニングポイントだとすると、「結」に配されたクライマックスに直結するのはいいが、ここですべてを終わらせなければならなくなるではないか。「転」はターニングポイントを含む展開部だと解説するむきもあるが、四部構成の中でここだけが内部構造を持っていると強弁しているように聞こえる。

つまり、「起承転結」の構成を忠実になぞると、その小説はクライマックスが一度きりになってしまいかねないのだ。

この場合、ツカミで大いに盛り上げる作戦をとれば良いではないかという意見もあろうが、それではツカミ本来のケレンが生きてこないと思う。小説の冒頭は、何事につけても「予兆」や「テーマの見え隠れ」から生じるワクワク感が命であり、ここに最大級のクライマックスがあると、作品は往々にして竜頭蛇尾現象を起こすものだ。

いっそ「起承転結」を、ひとまとまりの文章を書く際の、古《いにし》えからの精神論にすぎないと捉えてはどうか。「承」無用論は先に触れた通りだし、この構成論を長編小説に無批判に適用することだけは控えた方がよい。

では「序破急」はどうだろうか。天童荒太氏の大長編『ペインレス』が三部構成になっており、著者は「序破急」を意識したと後に語っているのだが、その話を聞いてからこの三文字が気になって仕方がない。

能や浄瑠璃などでは、序は導入、破が展開、急は結末をいうが、講談などのテンポについて言うときは、序はゆっくり、破はモデラート、急は速く、という風に使われる。『ペインレス』では能狂言における「序破急」によるプログラムと同義の構成が見られ、私は著者の言葉をその意味に解釈しているのだが、そもそもTPOごとに違った解釈が必要ならば、それはルールに非らざる何物かということになる。

こう言っては大雑把すぎようが、東洋の構成論はいずれも使い勝手が悪い。原因はコンパチブルでないからだ。芸道ごとにタコ壺状態で、互換性に著しく欠けるのである。

一つの芸道に入門して師範代にでもなれば身につけられるのだろうが、隠し金庫一杯の奥義があったとしても、一般化が前提でないわけだから、その構成論を、近代の長編小説向きに整理して示そうとした人も皆無だった。

これ以上突っ込むと文化人類学めいてきそうなのでこの辺でやめておく。

いわゆる「書き方本」の多くが、結果的に「三幕構成」を志向しながらも、「起承転結」の欠陥を指摘していないことを私は問題にしたい。クライマックスが複数回必要で、それはこの場所だといった法則性に理解が及びにくいのは、まさにここが原因なのだ。かと言って、数ある構成理論を無理やり統一してもかえって矛盾を生んでしまうだろう。私の場合は、時間芸術としての小説の構成を「ソナタ形式」に求め、映画の構成術である「三幕構成」がまさにソナタ形式であるということから、この形を構成についての基礎理論としてお勧めする次第である。

構成がしっかり頭に入ったとしても……

クライマックス三度、中盤、終盤のクライマックスを導くためのターニングポイント二度、とお題目だけ唱えていても、小説は始まらない。上記のような美しくて効果が最高に上がるようなストラクチャーにどんな物語を流し込むか、そのほうがはるかに大きな問題なのだ。

構成というやつは、スポーツカーや戦闘機の設計で用いられるエアロダイナミクス＝空力学によく似ている。エンジンを始めとする動力系や装備のスペックを、最大限に最も効率よく活かすのがエアロダイナミクスだから、逆に言えば、動力系が馬力不足だったり装備が欠陥だらけだったりすると役に立ちようがないわけだ。

そもそも何故クライマックスが三度も必要なのか。

三回盛り上げるようにと言われたって、今考えているネタのスケールとその捻り方でゆくと、盛り上がるのは一回が精一杯——そんなケースの方が現実には多いはずである。二度三度のクライマックスを作るためには、それに見合うネタの振り込みが必要なのだ。ただ何回かドンパチやって話を盛り上げればいい——はずがないではないか。

何だか、ああだこうだやってるうちに三幕構成理論に合致した作品ができちゃった、なんてことがありえない以上、ここはプロットとやらを入念に練り上げなければならない。

先ほどの、クライマックスがなぜ複数回必要かという問いに戻る。

その理由は、それだけテーマが解決困難かつ複雑で、利益相反のジレンマを含んでいるからだ。困難な事態や解けない謎が一度解決したかにみえても、そこから新たな謎や越えられそうにない壁が立ち上がってくるからだ。

それは、克服すべき問題が二つあるとかいったことではない。一つの問題の裏に、さらにスケールのでかい別の問題が存在していると言ったほうが近いだろう。

ということは、テーマがそれだけの深さをあらかじめ持っているということを意味する。冒頭に提出されたテーマらしきものは、まだよちよち歩きの状態で、これが迫りくる状況に揉まれて成長してゆく。そして最後にはテーマがその最深度に達するのである。とすれば、第二のクライマックスで出された結論は「仮の姿」であり、真の結論はその先に、意外な姿で存在するわけである。

意外性はなぜ必要なのか

ところで今、「意外な姿で」と言ったが、そもそも何故、「意外」でなければいけないのだろうか。

意外な結末、意外な犯人、意外な動機。ミステリーでは常に要求されるものだが、このジャンルでは謎の提示と解決が命だから、子供でもすぐに分かってしまうような謎解きならば、その作品の市場価値が発生しにくいわけだ。これはとても分かりやすい。

ではミステリー以外の分野ではどうだろうか。

意外性がある方が何となく面白いから、というのでも理由として成立するが、もう少し考えてみることにする。

ある社会問題を作中で扱ったとしてみよう。第一章でも述べたことだが、小説というものは本質的に世界で唯一の、オリジナルで独自な作品なのだから、その社会問題に対して著者の主張したい意見や解決法が一般的すぎたり、誰かの主張を模倣したものだったら、その作品には、やはり市場価値が発生しないだろう。

しかし、である。オリジナリティと意外性とはイコールで結べない。ただ独自性だけが際立っていて誰をも説得できないような主張では、市場価値どころではない。

ミステリーでも同じで、意外かつ説得力十分な結末があればこそ傑作と呼ばれるのだ。ミステリーの場合は、真犯人を知っている著者がわざわざミスリードをして、仮の犯人を何人か用意するものである。そのたびにヤマが作られ、仮説は崩れ去り、最後に「意外な」真犯人が顔を出して読者を驚かせる。

このロジックは、私に言わせると小説全般に通用するものだ。作品に出てくる問題をはらんだテーマに対して、著者は自分の本当の主張を隠して、仮の解決法を幾度か提示してみせる。そのたびに困難が主人公を襲い、試行錯誤の果てに「意外かつ説得力のある」解決が為される。読者は驚くと同時に胸のつかえが取れたように感じる、すなわち感動する……。

意外性とは、つまるところ、著者の言いたい本当のところを読者に納得させるための「演出」なのだ。演出の中で最も効果のあるもの、それが「意外性」なのだ。

人間はつねに新しいもの珍しいものの意外なものを求めて彷徨《さまよ》う生き物だから、新しさと意外性がセットになって読者を攻撃するだけで、読者は白旗をあげて降参してしまう。小説における最後のクライマックスでこの「意外性」が発揮されるのは、その時テーマが本当の姿を見せるためなのだ。

ということは、テーマの展開に市場価値をつけようと思うなら、「意外性のある演出」が不可欠ということになろう。逆算すればそういうことだ。

その「意外性のある演出」が、犯人あてミステリーの構造だったり、誘拐サスペンスの構造だったり、仇討ちやお家騒動の構造だったりするわけである。

構成論は、物語全体の姿についての話なので、つい分かった気になってしまいがちだが、エアロダイナミクスを体現したような流線形のシェイプがイメージできたとて、中身が伴わなければ意味がないから、もうこれくらいにしておこう。

話の順序を「ペタペタ」で考える

新田次郎氏が小説の構成を考えるとき、大型方眼紙を二枚貼り合わせたものを壁一杯に貼って、ストーリーラインを練ったとは有名な話である。気象庁の技官であった氏の、理科系的頭脳からすればさもありなんと思う。

この方眼紙で思い出すのはＮＨＫの佐々木健一氏で、自室の壁を方眼紙模様にして奥方に呆れられたとのエピソードだ（『「面白い」のつくりかた』新潮新書）。

映像作品の構成を考えるさい、各シーンの内容や注意点などを記した紙片を次々に壁に貼ってゆくのが業界では通例で、貼られた紙片は「あーでもないこーでもない」と順番を変えられ、そのたびに剝がされたり貼られたりを繰り返すのだという。これが「ペタペタ」と呼ばれる手法である。どんな内容をどんな順序で並べるのが作品としてカッコいいかをシミュレーションする、なんだか原始的な方法だが、これにまさるものは未だ現われていないようだ。

先に触れた構成論は何となく分かったとしても、そこに盛り込む物語の流れがうまく出来ないといった時、ぜひお勧めしたいのがこの「ペタペタ」である。

構成論などと大仰に説いてみはしたが、構成なんて要は「話の順序」なのである。例えば、自分の失敗談をどんな順番で話すと友人たちにいちばん受けるか、といった時の頭の働かせ方と同じことなのだ。

ただし、気を付けなければならないのは、話の順番をいじると、テーマが変わってしまうかもしれないことだ。私は一つの思考実験として、宮部みゆき氏の短編『朽ちてゆくまで』のテキストをパーツに分解した上で、順序を入れ替える試みをしたことがある。詳細は機会を改めるが、「もし原作と順番を入れ替えていいなら、是非ここを冒頭に」と誰しも考えがちなパートを実際にツカミとして使ってみると、作品全体のイメージが変わりテーマも変わらざるを得ない事態となった。宮部作品を勝手な妄想で分解した挙句に変種を産み出すなどもってのほかだが、やはり現状のテキストの順番が練りに練られた末のものだったことが良くわかった次第である。

時系列と「ペタペタ」

作家の書いた「書き方本」のなかには、新人賞を狙うには時系列を動かしたりしないで直線的に先へ先へと進む方が良い、と説くものがしばしばあり、これには首をひねらざるを得ない。

確かに「回想」を多用しすぎると、いたずらに時間を過去へ引き戻してしまうし、物語を先に進めることが疎かになりがちだから、これは「回想」を指しての指南だと解釈する可能性ならある。しかし時系列を巧みに操る作家は少なくない。このひそみに倣ってはいけないと言うのであろうか。

北上次郎氏は宮部氏を評して、つねに「事件がすべて終わったところから物語を始める」作家であると言う。初期の代表作『火車』がその典型であったように、宮部作品で直進的な時系列を持つものは皆無に近いだろう。

ここでついさっきの「ペタペタ」を思い出していただきたい。話の順序を考えるという行為自体が、すでに時系列をどう破ろうかという試みなのである。

事の起こった順に従って、つまり時系列を遵守して人に語ると、迫力が足りなかったり驚きが期待できにくい、つまり「ウケない」かもしれないために、時系列を変えて話してやろうと、人は考えるのではないか。少なくとも宮部氏と関西人はそう考えるに決まっている。

もうひと言付け加えておこう。時系列を操れない書き手がよしんば新人賞を受賞してデビューしたとしても、作家としての寿命はよくて二、三年である。

スタンダードはあくまでスタンダード

標準的な構成のありようをここまで書いてきたが、三幕構成が映画に用いられるのを前提としていたことからも分かるように、サスペンスや冒険小説系、あるいは英雄物語を含む長編ロマンといった分野にマッチした構成を、もっとも汎用性のあるものとして扱った。

しかし「小説って何でもあり」なのであって、こうしたスタンダードに適合しない名作も山ほど存在する。

例えば、トレヴェニアンの『バスク、真夏の死』。読み進むうち、美しい自然描写に惹かれてゆき、それを背景にした十九世紀的な恋模様に酔い痴れる。しかし、である。最後の最後になって凡《すべ》てがひっくり返るのだ。オーケストラが全楽合奏となる瞬間は、まさにここ一つだけ。長閑《のどか》な庭園のブランコも、何だか切なくてたまらない恋模様も、すべてがこのラストシーンのための伏線だったのだ。するとこれは、「スタンダード」からずい分と外れた構成ということになる。しかしラストの衝撃と感動を最大化するための構成として、これが最適であることは論を待たない。やはりスタンダードはスタンダードであり、中に盛るプロット次第で構成が変化することもありうるということだ。

また、「承」にあたるパートが、三幕構成にもソナタ形式にも見出せないことについて、少し前に触れておいた。しかしながら、小説を四楽章構成の交響曲に見立てるならば、「承」は緩いテンポの第二楽章にあたる。シンフォニーは、ごく大雑把に言って、テンポが良くて音量もある第一楽章、ゆったりと聴かせる第二楽章、滑稽味を持った舞曲の多い第三楽章、そして大音量を伴って観客を酔わせるフィナーレと進んでゆくものだ。

作曲家の才能を多角的に見せながら、発端から大団円までテーマを進展させるこの構成は、起＝第一楽章、承＝第二楽章、転＝第三楽章、結＝第四楽章と、小説のそれにピタリ合致してしまう。初音から終音までが連続して演奏される場合に用いられるソナタ形式だが、より長大なものの構成としては交響曲のそれで説明できそうだ。

三幕構成、ソナタ形式は、ロジカルに組み立てられた動きを伴うシーンを次々と繰り出すことを推進力とする構成である。「承」はそのような、盛り上がりを意図したものではなく、主人公まわりにたゆたう様々な思考が、ゆったりとしたテンポの中で整理統合され、次なる動きへの準備が整えられてゆくステージだ。

少し前に触れたように、こうした部分で読者を魅了できる作家もいる。ならば、本章の冒頭で「承」には疑義を呈しておいたわけだが、「承」にも定位置を与えることが出来そうだ。難易度の高い選択であることは繰り返しておく。

コラム　ツカミのある冒頭　その②「葬儀」

主要人物のほとんどを、同時に、かつ描写をともなって紹介でき、それが少しも不自然に感じられない便利この上ないシーン。その典型が葬式だ。

ある人物の死を悼んで集まった人々。交友関係の深さが一定以上であった彼・彼女らは、作品内の重要度に応じて、一筆書きで、あるいは一挙手一投足まで入念に、描写されることとなる。

『アムステルダム』（イアン・マキューアン）では、認知症の果てに死んだ元恋人モリーの葬儀に参列する作曲家の眼が、政治家やジャーナリスト等の知人たちを描写してゆくのだが、自分以外に悲しんでいる人物がいないことに愕然とする。葬儀シーンで描かれた彼らが絡み合って最後には殺人まで起こるのだが、この冒頭のイメージが伏線としてお終いまで機能している点は見事だ。

　小池真理子の名作『恋』はマキューアン作品の少し前に書かれているが、すでに亡き主人公の恋の軌跡を、葬儀に参列した視点人物が掘り起こすという構成。作中の長い一人称の物語が圧巻である。

第四章　誰の視点で書くべきなのか

小説コンクールは一人称だらけ

学生小説コンクールの応募作品はほとんどが一人称で書かれている、と何度か聞いたことがある。

かく言う私自身、大学時代に学内の文学賞に百枚ほどの小説を二度提出したことがあるが、ご多分にもれず一年生の時が「僕」、二年時が「私」を視点人物とする物語であった。

二十歳にもならぬ時分だから、自分自身が「眼」になって書かないと、どうにも安心できなかったのだろう。いや、それよりも自分以外に描くべき対象を見いだせなかったのではないだろうか。

二年生時の小説は、自分から離れようと試みて説話風の枠組みにしてみたのだが、にもかかわらず主人公は「私」なのだった。

二十歳前後の学生たちのためのコンクールだから三人称を用いた作品が少ないのかと、改めて問うと、そうでもないことに思い当たる。実際、新人文学賞の応募作品を見ると、ざっと三分の二に一人称が用いられているのだ。そう、芥川賞受賞作一覧を眺め渡すと、これまた一人称のオンパレードだから、直木賞との差異を「一人称」に求めても良さそうだ。

いちど「自分」から離れてみよう

一般社会で、自分のことだけを滔々と喋り続ける人がいたら、たちまち「あいつウザイ」となって仲間に入れてはもらえまい。自分にしか興味がない人間はたぶん自己愛が強いはずだから一緒にいても碌なことがなさそうだ、となるのが普通である。

一人称一視点の小説で、出来の悪いものの典型の一つがこうした「自己愛」型ではないだろうか。普段の生活では決してそうではないのに、小説を書くと何故か自分を投影した一人称ばかり、というのでは、好意で作品を読んでくれる友人まで誤解させてしまうかも知れないではないか。

そんなあなたが採るべきたった一つの手段――それは「いちど『自分』から離れてみる」ということに尽きる。

日本は、とにかく「私小説」の伝統が強すぎるのだ。

作家から受け取った小説原稿が気に入らなかったとき、年長の文芸編集者が作家に対してどんな言葉で批評するかに、若いころの私はとても興味があった。一番多く用いられた表現は、「自分の曝け出し方が足りない」「自分の恥部を人目にさらす覚悟がない」といった作家の人生への態度に対する批判だった。私小説って、新興宗教みたいに自分の過去を泣きながら告白する道場なんだなと私は思ったものだ。そこには「社会」が成立していない。てんでに告解の言葉を吐き散らすだけで自己満足していては、たちまちデフレスパイラルを起こしてしまうだろうと思ったわけだが、そう思う先から、私小説の伝統芸は終息に向かった。たぶん消滅への準備が整っていたのだろうが、私もこれには驚いた。

私に言わせれば、「作文は思ったままを素直に自然に書きましょう」といった原始共産主義みたいな作文教育と私小説は同根なので、二つまとめて消えてくれれば、それに越したことはない。しかしこの伝統は、前述の若い人たちの小説コンクールに残存したり、居所を変えてノンフィクションの世界ではびこったりすることになる。

日本のノンフィクションの特異性

わが国のノンフィクション界を、視点と人称というアングルで見れば、ひどく偏った世界と言わざるを得ない。ここが一人称オンパレードの時空だからである。
先日、若手の編集者たちと話していて、近年のジャーナリズム作品のベスト3を挙げてみようということになった。その場で挙げられてゆく作品名を聞いていて途中からとても気になり始めたのは、どこまでいっても三人称を用いた作品が現われないということだった。しかも殆んどが記者もの、つまりジャーナリストの著者本人が目となる取材記なのである。

この日本的現象を早くから指摘し続けてきたのが手嶋龍一氏である。アメリカにはデイヴィッド・ハルバースタムを始めとする三人称ノンフィクションの書き手が多くいるのに、何故日本ではそれが稀なのか。その疑問を胸に、手嶋氏は、小説を含めて一人称による長編作品を書くことがなかった。

例えば傑作として名高い本田靖春氏の『誘拐』や、沢木耕太郎氏の『テロルの決算』、そして手嶋龍一氏の『ブラック・スワン降臨』等は三人称で書かれている。取材に取材を重ね、可能な限りの情報を整理し、さらに「ペタペタ」を敢行したのちに、「神のごとき視点」の三人称で描かれる世界である。

記者モノの利点は読者と目線を共有できることにある。記者の取材対象への欲望は読者のそれと重なり、記者の抱く疑問は読者の疑問である。要するに感情移入が容易だということ。読者が記者と一緒に世界を見聞して歩ける感覚、これが一人称ノンフィクションの醍醐味だ。これは一人称を用いた小説と同じであり、デイヴィッド・ゴードン『二流小説家』の主人公のモノローグを待つまでもなく古今東西変わることがない。曰く「一人称で語りかけ、親密な空気を築くことさえできれば、読者はどこまでもぼくについてきてくれる」。

一人称をエンタメ界の職人たちが使うとき

今、私はわざと『二流小説家』を引用したのだが、それには理由がある。一人称には確かに読者の心を鷲摑みにしやすい利点があっても、安直に使われることもまた多いために、時としてデメリットとして働くのだ。麻薬と言えば言い過ぎだろうけれど。

結果的に小説初心者が「でもしか」で一人称を採用するケースが多く、純文学作品に比較的一人称が多いとすれば、ではプロのエンタメ作家たちがどうこの一人称を使っているのかが気になってくる。

一人称による叙述は三人称に比べて客観性が薄いと言われる。主観的かつ感情過多に陥りやすい。さらに欠点をあげつらえば視野狭窄である。こう言えばデメリットの方が多いようだが、ミステリー作品では、こうした一人称の特性を逆手に取って謎を膨らませる作戦がしばしば採られる。

「信用できない語り手」と言われる手法がそのひとつである。近年再評価の声が高まった折原一『異人たちの館』にみられる五つの異なった文体は、誰が何の目的で書いたものなのかが次第に分からなくなってくる。それが仕掛けなのである。

そのように読者を初めから翻弄するやりかたでなく、主観の持つ曖昧さ、あやふやさを次々に重ねてゆくことで謎を錯綜させ、世界の読者を魅了した湊かなえ『告白』のケースは、一人称の視点人物を多く登場させる意味で「一人称多視点」に分類される。

また、エンターテインメント作品に限ったことではないが、語り手を設定した作品はすべて一人称で記述される。海外文学ではこの形が滅多やたらに多く、名作の比率も高いように思う。長じてのちの自分が幼いころ若いころを回想するベルンハルト・シュリンク『朗読者』や中勘助『銀の匙』が一つのタイプであるが、ある大きな事件全体を知る語り手が過去を振り返って語るタイプにも傑作が多い。ジョン・アーヴィング『オウエンのために祈りを』、ガルシア＝マルケス『予告された殺人の記録』、そして我が太宰の『右大臣実朝』など。

こうして見てみると、「一人称ってまだまだいけるじゃん」ということなのである。というわけで、くれぐれも「でもしか」で一人称を採用することだけは避けるようお願いしたい。

六つのパターン

小説を誰の眼から叙述するか――単純化すると「視点と人称の問題」ということにな

るのだが、これは六つのパターンに分類できる。

まず、視点人物を「私」や「僕」などの一人称とするカテゴリーだが、これには最もシンプルな①「一人称一視点」と②「一人称多視点」の二つのパターンがある。「多視点」とは複数の視点人物が登場するということを指す。ついさっき触れた『告白』はまさにその典型である。

視点人物が「彼」「彼女」あるいは個人名で示されるようなケースが三人称のカテゴリーで、これについても③「三人称一視点」と④「三人称多視点」とに分かれる。

「あなた」などの二人称を視点に用いるケースも稀に存在し、このカテゴリーなら「二人称」ということになる。二人称の場合、複数の二人称叙述ということはまずありえないので、⑤「二人称一視点」のパターンのみということになるだろう。

このほか、一人称で書かれた章と三人称で書かれた章が組み合わさったスタイルも珍しくないので、このパターンは⑥「複合型」と呼ぶことにする。

それぞれに特性あり

一般的には、一人称よりも三人称の方が、記述される情報の客観性が高いとされる。

逆に主観性が強い一人称叙述は、感情の吐露が容易なため、しばしばモノローグ調であったりするものだ。しかしながら、三人称ではモノローグが不可能かというと実はそんなことはない。

滅多に一人称を使わないことで有名な宮部みゆき氏だが、三人称で描かれた彼女の作品の主人公は、実にしばしば地の文で独白する。その場合は口語が用いられるのが常だ。三人称を使っても「主観」や「感情」が表しにくいわけではないのである。そこは高等技術だろうから、と諦めないで、宮部作品を座右において模倣してみることだ。

三人称でも、複数の視点人物を配した作品は数多い。サスペンス小説や冒険小説、歴史時代小説には特に多く見られる。このジャンルでは、例えば犯人側からの視点と刑事の側からの視点の双方から描写したり、複数の事件を同時に進行させるモジュール型警察小説も珍しくないからだ。

関ケ原の戦いを描くにあたって、東軍の武将、井伊配下の又者あたりの単独視点を用いたとしよう。すると自軍の奮戦ぶりは分かっても、全体の戦況は長時間わからぬままだろう。こうした五里霧中の感覚は、戦記物ながら一人称で書かれたエーリヒ・レマルクの『西部戦線異状なし』に通じるものがある。戦略や戦術、あるいは武人の行動様式といった、いわゆる戦争それ自体にテーマを置かないのであれば、この国内史上最大の大会戦をわざわざ一人称で描く理由が立つはずだ。

一般的には、関ケ原の戦いの趨勢を、ある作家が新説を引っさげて歴史好き戦国好きの読者に捧げようというなら、視点はどうしても複数にならざるを得まい。そしてそれは東西両軍の双方に一人ずつ、加えて貴族か寺社勢力か技能者かは分からぬが、そこからもう一人、計三人の視点人物が存在する、といった形になることだろう。

視点人物が多すぎる？

三人称多視点というパターンは、対象をより多面的に描くことに向いている。それらの視線の交点に真実が浮かび上がることを、読者も期待しているはずだ。ただし「多視点」とは言えふつうは「三視点」までが限界だと思う。それ以上となると小説の焦点がボケてくるからだ。

そしてこれは実作上の肝心な点なのだが、ラストシーンを誰の視点が担うかという問題がしばしば発生することになる。ラストの眼となる人物は多くの場合テーマを全面的に反映するわけで、その選定は意外とむずかしいものだ。

また、視点人物が多すぎて、読んでいて時々誰の視点のパートだったか分からなくなることがあるものだが、原因は、似通った人物にそれぞれの視点を担わせているためであることが殆んどだ。

そんな場合は、三人称四視点ならば三視点へ、三視点ならば二視点へと整理統合する必要がある。似通った視点人物は合体させて一人にすべきなのだ。

複合型は名作だらけ

同一作品のなかに一人称パートと三人称パートが存在する「複合型」の作品は、近年多く見られるようになった。そしてこのタイプに傑作が多いことも事実である。

小池真理子氏『恋』は冒頭に葬儀のシーンが置かれている。亡くなったのはこの小説のまさに主人公。これが三人称で描かれたのち、主人公の一人称による恋物語が始まるのだが、この長いパートが、ある謎かけを伴いつつ感動のうちに終わると、再び冒頭の人物による三人称に戻るのである。ここで謎が思いもよらぬ形で解け、ジ・エンド。

形だけ取ってみると、美味しいハムや卵がはみ出さんばかりに入ったサンドイッチに似て、前後がパン生地によって挟まれている。肝心なのは中身だけれど、パン生地がなければ食べることが叶わないといった相互依存関係にあるわけだ。

『恋』に近い構造の作品に帚木蓬生氏の『聖灰の暗号』があるが、これは「ドキュメント複合型」と仮に名付けておこう。キリスト教で異端とされ迫害を受けたカタリ派の手になる手記に、現代に起こる事件を解く鍵が隠されているといった設定なのだが、この一人称で書かれた手記が滅法面白い。ドキュメントの世界と現代を往還しつつ進行するこのサスペンスは、現代を描く三人称叙述とドキュメントの一人称が交互に配され、その意味で複合型を成しているわけだ。

一人称部分がすこぶる魅力的なために、複合型といってもあらゆる読者が全く抵抗なく読めるこれら二作がある一方で、長江俊和『出版禁止――死刑囚の歌』のように、多くの書き手によるドキュメントが入れ子構造で配され、読者への挑戦として暗号を隠した和歌までラストに置くといった凝りに凝ったミステリーも存在する。しかし長江作品のスタイルの原型は一人称と三人称の複合形式にあるのであって、二重構造であろうがn重構造であろうが原理的には変わらない。

注意が必要なのは、作中にドキュメントを含む場合、ドキュメントの文体に工夫を凝らす必要があるということだ。戦前に記された日記であれば、旧字旧仮名はもちろん、言い回しや倫理観などなど配慮すべきことが山のようにあるだろう。また先の長江作品の小説内ドキュメントの数々は、どのような立場にある某が、どの時点で何を意図して、どの媒体に寄稿したかといった点で微妙にすべてが異なっている。従ってその文体も状況に応じて変えてあるわけだ。

ミステリー以外の一般小説においても、たとえば手紙文やメールが現われると、地の文と違った文体が用いられるが、長江氏のケースはその延長線上にあると考えれば納得がゆくだろう。

三人称ノンフィクションと語り部を立てたフィクション

さきほど、「日本型記者モノ一人称ノンフィクション」に属さない例として『誘拐』や『テロルの決算』を挙げたが、こうした三人称を使ったノンフィクションにおける視点人物は何者なのか。この問いは小説の世界と合わせて考えるとけっこう奥が深い。

『テロルの決算』では、どうしても作者としか考えられない「若い男」が登場し、テーマにつながる重大な事実を取材するさまが描かれている。ここで明かされる事実は、ジャーナリズム的には「スクープ」と呼べる新事実だ。であるならば、普通は著者自らが視点人物となって手柄を披露したいところだろうが、沢木氏はそうしなかった。代わりに取材者たる自分を、客体として描いたのだった。

「吉展《よしのぶ》ちゃん事件」を扱った『誘拐』も、「浅沼稲次郎暗殺事件」を取り上げたこの『テロルの決算』も、素材となった事件からかなりの歳月を経て執筆された作品だ。執筆時点で、著者の二人が、これらの取材対象について地上で最高の「眼」になっていたことは間違いあるまい。関連情報についてのパースペクティヴもまた最高度。そのような視点は神の視座そのものと言ってよかろう。だからこそ「若い男」は「私」（＝沢木）であってはいけなかったのだ。

このような視座と似ているものが二つある。ひとつは史談小説であり、いまひとつは語り部の設定された小説である。

司馬遼太郎作品に多く見られるのが前者で、例の「司馬史観」が全面展開するなかで三人称の人物たちが動きまわる。『坂の上の雲』を読んでいちばん何が頭に残るかといえば、それは地の文に満ち満ちていた司馬流の歴史解釈に他ならない。描かれる対象に対する当代最高の「眼」として、神の視座にきわめて近いレンズからその作品は描かれているのである。

小説における語り部は、描かれる対象について知り尽くしていることが大前提である。何十年か前の忘れられた事件について細大漏らさず知りうる立場にあった人物などは、語り部に最もふさわしい。そう考えると、語り部の持つ機能は「三人称神視点のノンフィクション」にとても近いものがあるということになろう。しかしながら、語り部が語るのであるから、主語は当然「私」の一人称である。機能が同じでも表現方法としては全く違っているわけだ。

これらのことを、映像ドキュメンタリー作品におけるナレーションと比べてみると面白い。ナレーションは、テキスト芸術では地の文に当たるが、制作者の眼を体現した「私」「わたしたち」が主語となって語られるケースもあれば、視聴者への「説明」に徹した「神視点」となっていることもある。前者の場合ならドキュメンタリー中の登場人物の一人が「語り部」となっていることが多く、文芸ドラマでも「北の国から」のような作品はその一例であろう。後者ならば、そのナレーションは『誘拐』や『テロルの決算』の地の文と等価なものと言えるだろう。

ただし、歴史小説の初心者が司馬流の史談調を気取ることは、あまりお勧めできない。その筋から「千二百年早いわ」と言われかねないからである。同じように、ノンフィクションの世界では神視点が可能でも、小説の世界となると全編通しての神視点などまず無理だ。成功例は髙村薫氏の『我らが少女A』くらいしか私は知らない。

主人公と視点人物が同じとは限らない

同窓会の流れで数人の男女が、一心に一人の男の到来を待っている。まるで弥勒を待つように、その男にまつわる話題だけで盛り上がっている。しかし田村というらしいその男は一向に姿を見せない――。朝倉かすみ氏の『田村はまだか』は冒頭から結末の直前まで、おおむねこのストーリーラインで進行する。

描かれる対象はなかなか現れようとしない田村に集中している。読者の脳裏を独り占めするのだから、この小説の主人公は田村に決まっている。

しかし視点人物は、というと田村に視線を向けた数人の男女ということになる。つまり小説『田村はまだか』は三人称多視点小説で、その主人公は田村というわけだ。田村は、最後の最後に意外な登場を果たすのだが、ごく大雑把に表面上のことだけで言えば「主人公不在」の珍しい作品と言うことができるだろう。

視点人物と主人公が一致しない小説は数多い。朝倉作品は少し極端な例だったかも知れないが、前に触れた「語り部」を立てるタイプの小説においても、主人公は視点人物とは異なる。例外は、長じた自分の眼から若かった時代の自分を自伝風に語るもの、『朗読者』(ベルンハルト・シュリンク)、『銀の匙』(中勘助)、『幽霊』(北杜夫)あたりのタイプのみである。

山岡荘八氏の作品に代表されるような、戦国の三傑の英雄物語といった史伝風歴史小説の場合は、これが合致するケースが多かった。しかし現代においては英雄その人の視点が用いられることはむしろ稀で、もっぱら英雄に近侍する者の眼から英雄を描く形が定番になったように思う。ヨーロッパにおける「ロマン」から「ヌーベル」への流れが、わが国での大衆文芸にも同じように起こったということだろう。

二人称という離れ業

「あなた」や「君」などを主人公とする二人称小説は、ごく稀にだが存在する。そしてその書き手は北村薫、乃南アサといった超のつく名人クラスだ。この章の最後にこの変わり種について触れておこう。

ただし間違えやすいのは、いくら「あなた」が主語であっても、「私」という語り手が一度でも記述されれば、それは一人称作品だという点だ。書簡体小説でも同様で、いくら手紙で「あなた」を連発しようが視点人物は「私」に他ならないのである。

乃南アサ氏のホラー小説『あなた』は、タイトルからして二人称なのだが、「あなた」の行動を細大漏らさず知っていて、常に目を離さない、この隠れた視点人物は誰なんだという大きな謎がポイントになっている。ここが解明されると、この作品が二人称小説であることの証しともなるのだが、これ以上は書けない。

柚月裕子氏『蟻の菜園』では六章構成のうち二章分が二人称叙述となっていて、「あなたはこの時こうした、こう言った」と、ある主要人物の言動や運命を語ってゆくのだが、では、その人についてここまで知っている「あなた」って誰だ、とだんだん不気味に思えてくる。

こうした語り手についての謎がキモになるのが二人称ミステリーの特徴である。

北村薫『ターン』は、「君」を主語にした二人称小説で、無神経な言い方になるが「パラレルワールド」物のひとつである。「君」と常に対話しているような「視点の人格」が存在する点が際立った特徴だ。映画化もされたくらいだから殊さら難解な作品ではないのだが、未読の方にはとても説明しづらい叙述形式となっている。

ミシェル・ビュトールの『心変わり』や、倉橋由美子氏の『暗い旅』などの筋らしい筋のない純文学では何故か追及しないのだが、エンターテインメント作品においては、ミステリーであるかないかにかかわらず「あなた」に語りかけるのは何者かが必ず問われる。そして『あなた』『ターン』の二作品に共通しているのは、その謎の人格が「常ならぬ存在」という点なのだ。ビュトールはフランス人だから、「あなた」を視ている人格が「神」である可能性を否定できないわけだが、いずれにせよこの人称は一人称よりもむしろ神仏や魑魅魍魎と関わりが深いと言えるだろう。

事によると、この二人称という、飼い慣らすのが難しい視点のありようを、ホラー、ファンタジー、スピリチュアル系で生かしてみたいという書き手が出現しないとも限らない。

コラム　べからずの部屋　その②「主語と文末」

日本特有の文章表現上の癖みたいなものがあり、主語の省略はその一つである。

源氏物語などの王朝文学のみならず、近現代文学においてもこの伝統は生きている。帚木蓬生『逃亡』では、長編のラストの一行のみに「私」が用いられている以外は、一切主語を省略しており、ここまでの徹底は類例を見ない。

村上春樹作品は、英文学同様、主語はしっかり示されており、こうした伝統と対照的である。

また、日本人作家の小説では、センテンスごとの時制として、過去形主体のなかに現在形を混ぜるのが常識である。過去形で揃いすぎている文末に違和感を覚えるのが日本人の美意識でありリズム感なのだろう。本来的には過去の描写の中に現在形が混じっていてはおかしいのだが、文末の「た」は「たり」の転訛であり、元来「完了」を表す助動詞であったのだから、「た」止めが続いても、そこには「現在の残滓」が含まれていると強弁できなくもないのだ。そういえば、書物の概要を書く際は、西洋でも日本でも現在形を用いるという同じ習慣があって、これについてもロジカルな理由付けを私は聞いたことがない。

つまり日本語表現では、文ごとの時制《テンス》が過去形であれ現在形であれ、それらは必ずしも過去や現在の事象に対応するとは限らないのである。すると、小説で大事なのは、美意識でありリズム感なのだから、よく言われるように「文章に臨場感を持たせる」ために現在形を時折混ぜて書く、これしかないのだ。また、あなたは村上春樹ではないのだから、省略できる主語はすべて排除する精神で臨んでいただきたい。

第五章　キャラクター狂騒曲よ、さようなら

「女が描けてない」と大家言い

その昔、と言っても四半世紀前の二十世紀末までの話である。文学賞の選考会では必ずと言っていいほど、「女が描けてない」と評されて落選の憂き目を見るケースが絶えなかった。私の担当作家でいえば、山口瞳氏などが直木賞選考会で使った表現である。

山口氏は、市井の女性や、当時の言葉でいう「職業婦人」を描くことに長けた作家だから例外だが、このほかの大家たちがどれだけ世の女性たちの実態を知っているか、怪しいものだと当時から私は思っていた。何故なら、こうした大家と言われる男性作家た

ちがよく知っている女性って、水商売の人たちばかりだからである。

ところが、大家の文学賞選考委員たちに女性の描写の不備を指摘された作家たちが、「そういうあんた達が描いてきた女性ってネオン街限定だよな」と反抗した例《ため》しも聞かない。それどころか先を争って酒場に足を運び女性の研究に励んだのではなかったか。

ごく最近の話だが、『男流文学論』という知る人ぞ知る鼎談本が復刊されて話題を呼んだ。富岡多恵子、小倉千加子、上野千鶴子の三氏が超大物男性作家の作品を取り上げ、作中の女性像を、男性優位社会に育まれた小児病的な人物造形の結果であると断定する痛快きわまりない本である。「女性のことなら俺に任せろ」風な吉行淳之介のような作家こそがやり玉にあげられている点に三氏の心意気を感じる。

この本が単行本で出版された二十世紀末は、女性作家の活躍が目立つようになった時期ではあるが、文学賞の選考委員の半分以上が女性作家という現在の状況にはほど遠かった。大家の男性作家の描く女性像をコテンパンにやっつけることが出来ない小説界も、寿命という定めには勝てず、代わって女性作家たちの描く女性像がはびこるようになった。

この急激な変化のなかで私は、新たな疑問を抱くようになる。女性による女性像だから正しいということにはならないんじゃないか、と考えるようになったのだ。もっと言えば、女性作家たちの描く男性像もまた、奇妙に画一的になってきたような気さえするのである。いつの日にか男性作家たちによる『女流文学論』が刊行されるのを待ちたいものだ。

さて、このように小説に登場する男性女性のキャラクターは、時代を反映してか常に揺らぎ続けているらしい。小説の書き方本では、主要登場人物のキャラの描き分けの必要性から、細かく何項目にも分かれた属性の表づくりを勧めている。そんなもの無意味だろうとは言わないが、「女が描けてない」と口にした大家同様、固定観念に縛られすぎの人間観を解きほぐす方が先決だろう。

根拠なきモテ系小説

文学賞の選考風景つながりで言えば、思い出すのは町田康氏が繰り返し口にした発言である。それが「根拠なきモテ系小説」という印象的なフレーズ。この作品の主人公は、何をしても注目されるし、どこへ行こうが異性にモテまくるけれど、なぜそうなのかがさっぱり分からない、といった批判である。

主人公である以上、作中でいろんな体験をさせなければならないが、実生活で考えても分かるように、彼（女）に何らかの魅力がなければ人は集まってくれないものだ。一人称の主人公に自分をダブらせて、小説内でモテまくるという夢想にふけるのだけはやめたほうがいい——選考会場で町田氏はそう言いたかったはずだ。この作者は独りよがりで自己を客観視することができないらしい、という意味もそこには含まれるだろう。

小説の登場人物のキャラクターには工夫が必要だ、とは百も承知で作者は人物造形に気を配っているはずである。にもかかわらず主人公が注目されるだけの根拠をちゃんと示せと言われるのだから、これは永遠の問題なのだろう。

バカが描けてない

「女が描けてない」などと他人の小説における女性キャラを云々する資格はもとよりないが、私なら「バカが描けてない」ということを、特に若い書き手たちに申し上げておきたい。

バカを描こうとしていない、と言うべきか。

人生経験が浅いほど、という但し書きがつくのだが、人は自分の目線の高さで小説を紡ぎたがるものだ。書き手自身を主人公に投影しやすいからだろう。そして、ここが肝心なのだが、その目線の高さとは、世間の知的水準より少しだけ高いものと設定されるのが通例である。

一般人より少しだけ優れた知性と感性を持った視点人物であれば、周囲の世界と正面からクラッシュしたりしないし、逆にごく短時間にすべてを理解出来たりもしないので、小説展開上、まことに都合がいいのだ。

だが、それでは決してリアルな作品は描けないはずだ。知性や感性や行動力において平均点以下の人間がこの世の人口の半数だけ存在しているのだから。

ジョン・スタインベックの『ハツカネズミと人間』は、バカを描き切ることで最高度の感動をもたらす傑作だ。副主人公のレニーは、知性において著しく劣るが、肉体労働においては二人分の働きを見せる男である。この男の口から出る言葉は、やたらに繰り返しが多く、語彙もすこぶる少ない。だのにスタインベックの手にかかると、その台詞は、ある時には呪術めいて聞こえ、またある時には悲しみに満ちて読者の心を揺さぶるのだ。

日本において努めてバカな人間を描こうとしている作家というと、コメディタッチのものを除けば、馳星周氏と戸梶圭太氏、そして月村了衛《りょうえ》氏くらいのものだろう。映画化された『溺れる魚』の著者・戸梶氏は、バカを魅力的に描いたサスペンスで知られており、直木賞作家・馳氏は、知性の低そうなメインキャラクターたちの虚ろさを、短いセンテンスを重ねることで、いっそ感動的に表現している。月村氏の『欺す衆生』の場合は、自覚のない天才詐欺師と、低劣なその仲間グループを、意図的な「ボキャ貧」の枠内で描写することに注力し、かつ成功している。こうした例外的作品に、日本人はもっと学ぶべきではないか。

「バカ」というわけではないが、映画「レインマン」の主人公の兄の描き方はとても参考になるはずだ。彼はサヴァン症候群ゆえの引きこもりなのだが、数字や演算に超越的な能力を持っていて、主人公が連れていったカジノで大活躍する。要するに日常の九十九%はバカでも、一%の分野で他を圧倒する能力を持っているというキャラ設定が面白いのだ。暗算や曜日当てクイズの他にも、こうした一%に当たるヴァリエーションは見つかるはずだ。

最初のキャラ設定で通すのは不自然の極み

キャラクター小説の書き方指南書では、幾つもの項目にわたって主要登場人物の属性を細かく設定しておくよう指導がなされている。その属性がマニエリスムそのものだという点以外、この方針に異論はないが、これが不動のものであり、作品の最後まで同じということになると首を傾げざるを得ない。主要登場人物、特に主人公に関しては、「成長」ないし「進化」をとげるのが一般的だろう。のちに論ずるが、例外はサイコパスか天才的探偵役のどちらかしかない。そうした「成長」や「進化」にはキャラ的な変化が伴われなければ不自然である。

進化や成長でなく「退化」するのでも構わない。副主人公が前半までは魅力を放っていたのに、後半になると急にメッキが剝がれ、別の脇役に取って代わられることが時として見られるが、こうした「退化」も見逃せないリアリズムの発現なのである。

病気持ちというのもキャラクターのうちに入れておくべきだろう。ヤク中で神経病みのシャーロック・ホームズや、末期ガンのため余命半年の刑事といったパターンならよく見かけるが、ある病気を持っているために特定の人生観が生まれたケースや、定期的かつ頻繁に加療が必要なために行動が著しく制限されるといったケースには滅多にお目にかからない。これらは立派にキャラクターとしての機能も備えているだろう。

人間関係は必ず変化する

個々人のキャラクターの変容だけでなく、人間関係の変化もまた長編小説には欠かせない要素である。それは会話文の文末に端的に表われる。

初対面の人間同士は、ふつう敬語を使って話すものだが、親しくなってくると敬語は使われなくなる。しかし、ある時、二人の間にふたたび敬語が使われたとすれば、それには幾つかの理由が推察される。

①一方が出世して、もう一方の上司となった
②二人が親しい関係だということを、同席する人に知られたくなかった
③二人は知り合って間もなく男女関係になり、「ある時」より前に別れた

浮世の窒息的な上下関係に搦《から》めとられた人間像あり、同席者を共同で欺こうと謀るような関係あり、さる事情から他人行儀に振る舞うようになる関係あり。これらは二者関係の小さな変化にすぎないが、長編小説ではこうしたことが絶え間なく起こることでストーリーを彩ってゆくものだ。

個々人の関係の変化のほかに、是非考えておかなければならないのは、リーダーシップである。人間は三人集まると派閥が出来ると言われるが、人の集合離散にはリーダーシップの変化がつきものだ。

前半部分で、グループのまとめ役として輝いていた人物が、後半に入ってから精彩を欠き始め、別の人物に主導権を奪われるという流れは映画「飛べ！フェニックス」にこれ以上ないほどはっきりと見られる。砂漠に不時着して半壊した飛行機を、乗客たちが改造することでサバイバルを果たすという筋書きなのだが、中盤まで乗客たちをうまくまとめていたエリート風の男が、ある時からオタク風の若い技術屋に主導権を奪われるのだ。そのような極限状況でなくとも、人間関係の変化、リーダーシップの変化は気づかぬうちに起こっているものではないだろうか。リアリズムはこうしたダイナミズムの中にあることを忘れてはならない。

脇役はたやすく主人公は難しい

丸谷才一氏が『文学のレッスン』のなかで、小説の主人公の人物造形の歴史的経緯について触れている。十九世紀半ば以降、中心人物は複雑に、脇役は単純な性格になっていったという。キャラクターに濃淡をつけて描き分ける技法がそのように定着していったということだ。なるほど、と思うのだが、では名脇役級の登場人物だとどうなるのだろうか。

一般に主人公という存在は、色んな場所へ出向き多種多様な人物と出会い、それらから影響を受けやすい立場にいるわけだから、ある種の公正な眼を持っていなければならない。偏りの大きくない公平な判断力を持ち合わせている人物は、現実世界では支持されようが、物語の世界では読者の人気を勝ち得ることが決して容易ではない。

一方、副主人公クラスの脇役だと、けっこう癖のある人物に描くことが求められるもので、結果として読者の人気投票ではナンバーワンとなることが多い。

脇役の造形に成功した作者も、主人公には苦戦しがちだ。やはり主役なのだから魅力的に描かなければと、焦れば焦るほどうまくいかないものだ。

丸谷氏の言う中心人物の「複雑さ」は、一つの性格の表裏を指すと同時に、小説の後半における主人公の成長を指してもいるだろう。だとすれば、ストーリーの展開に応じて主人公を変えてゆく勇気を持つことが成否の鍵を握っているのではないだろうか。

脇役は主人公の敵役となることがしばしばだ。主人公が正義の側にいると、こちらは悪の側。人間界の悪は百態あって、読者もそのヴァリエーションを楽しむ用意ができている。対して正義というやつはみんな似通っていて甚だ面白味に欠けるものだ。これは幸福と不幸についても同様で、『アンナ・カレーニナ』冒頭にもあるように、幸福の形はみな似ているが、不幸の形は多種多様。だからこそ小説の世界では「悪」や「不幸」が専ら幅を利かせるわけだ。

例えば悪の側にいる脇役が、たった一度だけ弱者を労わったり、捨て犬にミルクを与えたりするだけで絵になるものだが、善人が同じことをやっても様にならない。それどころか、九十九の善行の陰で、たった一度トラブルの渦中にある知人を見過ごしにした、というだけで穢れたイメージを持たれてしまうのだ。このように、主人公は不公平に扱われる運命を背負わされている。そのことを肝に銘じておいてもらいたい。

矛盾のない人間はいない

小説の構想に従って主要登場人物の役柄が次第に明確になり、それをもとに体格や性格や好悪の感情などの細部がアバウトに決まったとしよう。ここから先、ライトノベル系の指南書では、身長体重だのファッションや音楽の嗜好だの、はては眼鏡フレームのタイプといったことまで、その「キャラ」に統一感を出す必要性を説いている。

丸谷氏が書いているように、主人公格は努めて複雑に描かれるようになり、かつその人格が初登場シーンとラストシーンでは変化しているべきだとするならば、こうした微に入り細を穿《うが》つような一分の隙もないキャラクター設定それ自体が無意味、ということになりはしまいか。

そもそもそんな統一感のある人間っているだろうか。日本酒党の酒呑みは塩辛いものが好きで民族派、という「統一された人格」に全面的に逆行する人物が私の先輩にいる。彼は牡丹餅《ぼたもち》を肴に日本酒を飲みながら漢詩を中国語で朗詠するのだ。そして御夫人はドイツ人と来ている。この先輩って「キャラ的な矛盾」の極致ということになるのであろうか。

人間の職業を考えても分かりそうなものだ。人はその職に就くために生まれて来たのでも何でもないし、たいていの場合「でもしか」で就職している。だから、あるイデアから想像される枝葉を寄せ集めてキャラクターとしても、リアリティなど出るはずがないのだ。

むしろ人間は、思いもよらない仕事を持たされて、何とかそれをこなしているうちに不本意ながらも「人格」が形成されたりするものなのではないのか。だから想像上のキャラなどよりも、普通の生活者、労働者の持つ、少し不本意で矛盾だらけの「職業上の人格」の方が、読者にとってよほどリアルに感じられるはずなのだ。

マーク・トウェインやチャールズ・ブコウスキー、志茂田景樹氏など、様々な職業体験を持つ作家は多いが、そのプロセスで得た職業上の視野の数々が小説を書く上で想像以上に役立っているはずである。

では具体的に、創作の上でキャラクター内部の矛盾を面白く演出するにはどうすべきか。例えば食事シーンである。

主人公が、塩こん部長みたいな実務一点張りの上司と蟹すき鍋をはさんで向かいあっている。ふと見ると上司の箸の使い方が妙に優雅である。蟹肉が魔法のように剝かれ殻入れの周りも整然としている。主人公が上司に抱いていたイメージと余りにもかけ離れているので、当夜はペースがつかめぬままだった——とか。

読者が最初に抱いた上司のイメージはこのシーンで修正を余儀なくされ、そればかりか、この塩こん部長の意外な生まれ育ちに思いを馳せることになろう。ここで生まれた小さな謎に読者が気をとめただけで、このシーンは成功したと言えるだろう。実はキャラクター上の矛盾と言っても主要人物においては解決編が用意されるので、これは人物造形のコントラストを強めるためのテクニックにもつながっていよう。

多重人格でもないのに別人格

私の知人に英語の達人が二人いる。ひとりは同僚の編集者で、もうひとりはいわゆる財団人。二人とも交渉術に長け、外国でこそその能力を発揮するタイプである。ヨーロッパで彼らが活躍しているところを見るにつけ、日本にいる時と「人格」が違ったように感じられてならなかった。狭苦しい日本という檻から出たら、全く別の人格が現われるのか、それともそちらの方が彼ら本来の姿だったのか。それでも、帰国するとまた以前通りの彼らに戻るから、最初の頃はちょっとしたショックを受けたものである。

これは二重人格的現象でもないらしい。本当の多重人格なら、人格を一つに統合してゆく治療が必要だが、彼らには精神科医院への通院歴などない。つまるところ「英語人格」「外国語人格」が彼らのキャラクターの一部なのだと理解するほかない。

しかし、翻って考えてみると、こうしたことは必ずしも珍しいことではない。ふだんは控え目で口数の少ない人が、ピアノを弾く段になると情熱的で華麗な表現を好むといったことはしばしばだし、その代表選手が「ネット人格」という奴ではないのか。

ネット上では別の名前、性別、年齢で人とコミュニケートするケースが多いようだし、そうでないとしても、人間は、メールの文章となると別の人格が降りてくるものらしい。そもそもふだんの会話と手紙の文章は違うし、手書きしていた時代の手紙文とワープロで書いた手紙文は違っていたはずだ。

一九九三年にブライアン・フリーマントルを文庫キャンペーンのために日本に呼んだとき、取材を兼ねて新宿ゴールデン街を案内したのだが、夫人は私に言ったものだ。「ブライアンはワープロを使い始めてから小説が長くなってしまったのよ。タイプライター時代が懐かしいわ」と。パソコンで小説を書くのが当たり前になった今日、筆記機材の性格が現代小説の性格を決めていないはずがない。

現代では手紙を出す代わりにメールするのが当たり前だが、手紙の書式をメールが備えていないことに気づかないままメール全盛時代が来てしまったように感じる。文は人なり——文には人格が宿るわけで、ネット人格はすでに根幹の人格との統一が難しいレベルに達しているのではないだろうか。

ともあれ、現代人は知らぬ間に多重人格化しているし、そのことを踏まえて小説のキャラクターたちを考えないとリアリティを欠くことになるだろう。また前章で述べた「ドキュメント複合型」小説においては、ドキュメントに当たる章の文体のヴァリエーションと、こうした多様な人格が大いに関係していることを考慮すべきであろう。

登場人物の整理統合を

馳星周氏の『雪炎』は北海道の道南に位置する原発の町での市長戦を題材にした小説だが、土地柄と人物が独特の絡み方を見せてくれる。

原発に依存する町で反原発を唱える立候補者が現れての選挙戦。元公安警察の主人公がその候補の同級生という設定。ザックリ左右に分けると、職業上「右」の中で「左」に位置していた主人公が、「右」の土地で「左」の政治家と懇意であり、かつ政治上の対立関係にある「右」のヤクザ者の一人と主人公が心情的に最も通じ合っている、という構図なのである。

この屈曲に富んだ設定の隅々に人物が配されるわけだが、主要登場人物は、選挙戦という事情から、保守の側と革新の側にシンメトリックに配分されている。その対称軸に主人公が身を置く形である。

この人物配置を「図式的」と言うなかれ。神輿に担がれて相争う左右の候補者、左右の選挙参謀などなどはすべてカウンターパートなのだからシンメトリーは当然のことである。

いま、選挙という分かりやすいツールを使って示したのだが、小説の登場人物というもの、翻って考えてみると、ほとんどの場合、敵味方に分かれて競り合っているものではないのだろうか。主人公には憎き敵役がいて、それぞれに参謀を持ち、玉を奪い合っている、これは重要な話型の一つである。

三角関係の人物構成も左右対称だ。二人の男がひとりの女性を争うとき、どちらかの男の比重が他方を圧倒するほどであれば、これは三角関係を書くためのバランスの取れた状態とは言えないはずだ。

このように、小説における登場人物は、その数と配置が均等になるよう可能な範囲で目配りすべきだと思う。さらに著者が自らを託す側のみを偏重することなく、そのカウンターパートを努めて魅力的に描き出さねばならない。

そして、この作業で炙り出されることが一つある。著者が自分の創り出したキャラクターに盲目になって、登場人物の数を抑制出来なくなったときに有効なのだ。この女性はこの作品に必要不可欠ではないし、よく似た立場のこちらの女性と統合した方がよさそうだ、といった判断が、シンメトリックな人物構成図を眺めているうちに浮かんでくるのである。

若い書き手の場合、登場人物の手持ちのヴァリエーションが少ないため、人物造形の似通った登場人物だらけになってしまいがちだ。これを避けるためにも、人物の整理統合を強くお勧めしたい。

走りながら人物紹介を

小説の序盤では、主要な人物の登場にあわせてキャラクターを紹介する件りが多くなる。下手な作者は、この時、小説内時間を止めてしまうのだ。よほどキャラ紹介の描写なり文章なりが面白くないと、読者はすぐに本を置いてしまうだろう。

物語を先へ進めながら、それと並行してさりげなく人物紹介が入り、ストーリーの進行とキャラを同時に楽しめるようにするのは、作家必須の技法だと私は思う。

第三章でふれたことだが、近藤史恵氏『サクリファイス』の冒頭は、自転車競技の本番さながらのトレーニング風景から始まるのだが、ここでは物語の進行を止めないで登場人物が一人一人点描されてゆく。

これほど見事なケースは稀であろうが、こうした精神は回想シーンにも貫かれており、回想が始まるキッカケから我に返るところまで、物語の進行を妨げるどころかむしろそれを促すように機能しているのである。

小説が時間の芸術であることは先に述べた。一時も休まず流れ続ける小説内時間。これを止めずに描くことを、作者は常に求められているのだ。

コラム　ツカミのある冒頭　その③「暗示と予兆」

小説でもノンフィクションでも映画でも、その作品のテーマを仄めかすような冒頭がうまく作れればしめたものだ。吉村昭の作品は事実に基づく創作が大半だが、氏は、冒頭部分に使えそうなエピソードを、広汎で入念な取材活動の中で拾い出す天才であった。

『零式戦闘機』は、日没後にシートに覆われたゼロ戦が三菱重工業名古屋航空機製作所から運び出されるシーンから始まる。しかし世界最高レベル兵器の運搬車はなんと「牛車」だった。そのことが、この小説のテーマに直結するのである。近代兵器での突出とインフラ面の未整備というアンバランスは、すなわち西洋を範とする日本の近代化の矛盾そのものだから。

『戦艦武蔵』は、ある自然素材の高騰という不思議な現象から始まる。棕櫚《しゅろ》が市場から姿を消したのだ。秘密の巨大建造物を隠すカーテンとしてこれが使われたためである。その正体が新型戦艦であることが明かされるまで、読者は想像をたくましくして待ち続けることになる。こうした「予兆」を巧みに書けると、上々のツカミの出来上がりである。

佐々木譲『エトロフ発緊急電』の冒頭付近に描かれた「巨大建造物」の描写は圧巻だ。「遠くから眺めるなら、それは小島であり、また神殿の遺跡のようにも見えた。（中略）無骨でまがまがしい容貌をもってはいるが、それはまたまぎれもなく女性であり（中略）男たちの不可解な熱情の対象であった」。お察しの通り被写体は戦艦なのだが、これは単なる映像情報ではない。一字一句がテーマを帯びたアポカリプス（黙示）なのである。

第六章　安易な同時代性は無用

現代語訳源氏物語、第四次ブーム到来か

『源氏物語』の現代語訳の嚆矢は与謝野晶子である。太平洋戦争直前に二度目の「新新訳源氏物語」を加え、同時期に出た谷崎の『潤一郎訳源氏物語』と並んでベストセラーとなった。谷崎は戦後二度にわたって新訳を世に出すことになるが、最後のバージョンは一九六〇年代半ばのこと。ここまでを第一次ブームとしよう。

これに続いたのは一九七〇年代前半の円地文子と、後半の田辺聖子。「田辺源氏」にはこの作家独特の創意が込められている上に巻名まで変えられていて、出版界に入りた

ての私は度肝を抜かれたものである。これが第二次ブームだろう。

第三次ブームの担い手は、橋本治『窯変源氏物語』という現代語訳史上最大の変化球と、満を持して世に問うた「瀬戸内源氏」だった。いずれも一九九〇年代のこと。前者は敬語を省略した翻訳小説風の味わいが濃厚だったし、後者は「ですます調」という新味が眼をひいた。

そして二十一世紀に入っての第四次ブームは、大塚ひかり『全訳源氏物語』と林望『謹訳源氏物語』によって幕を開ける。その後、林真理子氏が、光源氏の死によって「源氏」を二つに分け、『六条御息所 源氏がたり』『STORY OF UJI 小説源氏物語』の二冊を刊行、ほぼ同時期に角田光代版も完成をみた。ここ十年ばかりの源氏ブームには目を見張るものがあるが、最新の「角田源氏」では、主語を補い敬語を省略したことで「クラシカルな現代小説」といった味わいとなり、現代語訳の世界も行き着くところまで行った感がある。

というのも、三人称の日本語叙述においては、近現代では通常、敬語を使わないから、角田氏の戦術は当を得ていただけでなく、極めて自然なこととして受けとめられた。通常、主語が誰かよく分からないことと敬語が煩わしいこと、古典につきまとうこの二大障壁を取り除いてくれた作家が、橋本治・角田光代の両氏であったということだ。

コンテンポラリーな源氏物語

現代語訳の長い歴史が、古典の読解力の徐々に弱まってゆく当節の読者に、読みやすいテキストを提供するためであったことは疑いの余地がない。私見ではあるが、これは角田源氏で頂点を見たと思う。しかしながら、源氏物語を最もコンテンポラリーに料理してのけた作品ということになると、それは林真理子氏の二冊ということになるのではないか。

「コンテンポラリー」とは「同時代的な」という意味で、芸術作品が現代と共通した何物かを持っている場合に使われる。反意語は「パーマネント」(=恒久的な)や「コンサーヴァティヴ」(=保守的、伝統的な)あたりだろう。

『六条御息所 源氏がたり』と『STORY OF UJI 小説源氏物語』がこれまでの現代語訳と違っている点は、視点人物の固定という、この一策に尽きる。前者は六条御息所を語り部とした一人称一視点で書かれており、後者は三人称多視点が採られているのである。これは実に画期的なことだ。語りを担うことのできる視点人物は原作中で長く登場し続ける者でなければならないために、彼女が選ばれたという事情はあるが、それだけでは原作の魅力を引き出しつつ小説としてのオリジナリティを確保するには足りないと著者は考えたに違いない。

六条御息所から連想される言葉といえば「生霊」とか「恐怖」といったあたりだろうか。光源氏への愛憎の深さも第一級で、まあルサンチマンの強い深情けの女性と表現して間違ってはいまい。恋愛小説の名手でもある林氏は、この小説を、ホラー色の強い恋愛サスペンスといった形で、原作から構想し直したのではないか。光源氏の死後の時代を描く宇治十帖については、浮舟をめぐる薫と匂宮の三角関係を描くにあたって、思い切って近代小説の代表的な描写スタイルである三人称多視点を採用した。

これら二つの「作戦」は、これまで誰も試みなかった方法だ。いや思いついても畏れ多くて踏み切れなかったのだろうか。しかしこの作戦にも増して勇敢なのは、原作のテーマを現代性ゆたかなものに変えている点だ。これこそがコンテンポラリーな古典再生術に他ならない。わが国最大の古典遺産を、ディテールの味わいを残しながら一種の「ジャンル小説」の方向に引っ張ってゆき、その方途として視点人物の固定という、近代以来の小説作法を使ったわけだ。

古川日出男の場合

「平家物語」の一種の翻案小説を書いた古川日出男氏が、つい先ごろ女流日記文学の現代語訳を世に問うた。題して『現代語訳　「紫式部日記」』。現代語訳の役割を百パーセント満たしながらも、これぞ古川作品という強烈な印象を与えるものだった。

日記文学が、「日記」と謳いながら、実は他者に読まれることを前提にしたものだとは、「土佐日記」以来の伝統であるが、この作品はそのずっと先を行っていて、千年後の読者と時空を共有する紫式部の意識に入り込んでしまったような印象を読者に与えてくれる。こんな作品には未だかつて出会ったことがない。あくまで結果的にだが、これもまた古典に強い同時代性を与えることに成功している。

この味わいが何に似ているかと問われれば、三島由紀夫の『近代能楽集』と答えるだろう。

『近代能楽集』は原作に当たる能をたんに現代風にアレンジしたのではなく、そのテーマに新たな解釈を与えてみせたのだが、同じことは古川氏によっても実現されている。「コンテンポラリー」を地で行った三島と古川氏であるが、「浜松中納言物語」をベースに書かれた「豊饒の海　四部作」のような小説を、この先、古川氏には期待したいものだ。

藤沢周平かく語りき

短編小説の名手・阿刀田高氏が講演会で時折話したことだが、かつて藤沢周平氏に時代小説の要諦を訊ねたことがあったという。

その時、藤沢氏は阿刀田氏にこう答えた。自分はただ現代小説を書くつもりで時代物を書いているのですよ、と。

それが自然体で出来れば最高なのだが、普通は時代の隔たりを意識した上で研鑽を積まなければ叶わないことだろう。

しかし、作品を同時代の問題意識とリンクさせようとして鋳型に嵌めるのは失敗のもとである。無理やり現代風に作品を装わせるくらいなら、同時代性を作品に込めること自体を諦めたほうがいい。

読者が、ある作品を読み終わって、しばらく置いてふっと気づく——この世界って現代のこの点と似てるかも、という感触、これこそが同時代性の理想的な実現の姿なのである。

同時代性なのか普遍性なのか

歴史時代小説、特に乱世に素材を採った作品では、いわゆる「ボスキャラ」や「補佐役キャラ」がたくさん登場する。忍者や軍師のような「アルチザン」系のキャラクターも多い。中国を舞台にしたわが国の豊かな作品群においても同様である。

こうした小説の作者は、テーマや歴史の新解釈は別として、やはり自分の描きたい実在の人物がおり、それをどう書こうかと常に工夫を重ねている。なので安易に読者の嗜好に妥協しようとはしない。だが、結果的に、よく売れた作品は、現代の社会状況や人物像と引き比べて読者に「あるある！」と言わせる力を持っているものだ。

これは著者が登場人物に同時代性を持たせようとして普遍性の域まで達したのだと受け取ってもいいし、そもそも同時代性は普遍性の一部なのだと解釈してもいい。

一番いけないのは、普遍性になど至りそうもない当世風の風俗で過去の英雄を飾りたて、これでもかとばかり過去と現在を同一視してみせるやり方だ。

こうした必然性のない、意図の見え透いた同時代性ごっこなど、瞬時に消えてゆく運命だと知るべきである。

小説もメディアの一部である

小説家・伊坂幸太郎氏は優れたジャーナリストでもあると思う。小説も戯曲も、詩でさえも、多くの読者を想定した表現活動である以上、必然的にメディアという大きな集合の一部となり、ジャーナリズムの一角をなすのだから、何も伊坂氏だけが特別というわけでもない。

しかし、『魔王』『ゴールデンスランバー』『火星に住むつもりかい？』の三作を、もし続けざまに読むとすれば、これらに共通して現れる危機感に気づかずにはいられまい。そこにあるのは、大衆の絶望であり、狂信であり、強迫観念であり、排除の論理である。これを伊坂氏が今日の日本に見ていることは明らかだろう。これこそが同時代性であり、これら三作の場合、テーマと同時代性が直結する形となっているのだ。

このケースはすこぶる特殊であり、通常は、例えばミステリーだと犯行の手口の現代性を競ったりするものだ。湊かなえ氏の『告白』にみられるような犯人の終盤の行動様式は、読者を唖然とさせるに十分な、エッジの立ったものだったし、一九九〇年代はじめという携帯電話の普及していない時代の中学校を主舞台にした宮部みゆき氏の『ソロモンの偽証』では、携帯電話抜きでも多様で急速な悪意の拡散がありうることが示され、新ツールに頼らずとも時代をここまで描けるのかと驚愕したものである。

　こうした成功例には、想像力の飛躍があることはもちろんだが、やはり同時代性の発現は、取ってつけたようなものでは駄目で、プロット上の必然の先にあるものと理解していただきたい。


猪瀬直樹『ペルソナ』のラストに注目！


『ペルソナ』は猪瀬氏による三島由紀夫の評伝ノンフィクションである。私はこれこそ評伝文学の最高峰と思うのだが、ノンフィクション界と文芸世界には越えがたい壁があるようで、壁を越えた評価などしてもらえないようだ。

　そもそも評伝なのだから、同時代性という観点でこの作品を眺めるのは的外れもいいところで、三島由紀夫が現代に通じるものを多く持っているからといって、その分だけエラいということにはなるまい。しかし、さすが猪瀬氏だけあって、この観点にも耐える意外なラストシーンが用意されている。

　自決の場所である市ヶ谷を当時のニュース番組で改めて観た著者は、見慣れたはずの看板にふと目を留めたのだった。そこには「市ヶ谷駐とん地」と記してあり「とん」がひらがな表記であることに改めて気づく。ははぁ、三島はこれが嫌だったんだな、この間の抜けた表記が戦後の日本と二重写しに見えたんだろう……。著者は深く頷き、そこに三島の「反同時代」的精神を読み取るのである。

三島由紀夫の反同時代的意識を、そうした絵柄にして見せてくれる猪瀬作品のラストシーンは、逆説的ながら、まさに読者の虚をつく形で現代を描く行為そのものではないだろうか。是非ご一読をお勧めしたい。

『それから』の代助が最後に見たもの

見え透いた同時代性の演出ほど哀れな結果を招くものはない。ホラ、これこそが現代なんだよと、一貫して言い立てている感のある小説は、実際のところ時代から少しだけ遅れて当世を写し取っているだけだ。だからやがて錆びる。

「これ見よがし」の同時代性は明らかに逆効果だとしても、それでは「さり気ない」同時代性ってどんなものかと問われたら、私は漱石の『それから』のラストにそれがあると答えたい。

代助が兄と決裂した直後、職を探してくると言いおいて外に出ると、外界は何から何まで赤いのである。暖簾《のれん》から看板から電柱までが赤く染まった中を「ああ動く。世の中が動く」と代助が言う。これが高等遊民の主人公がエゴを発出した瞬間なのだと、文学史的には説明されているようだが、むろんそれは正しいにせよ、この「赤」の行進って、その説明じゃあ分かるわけがない。

今、あらためて『それから』を読むと、やはりこのラストは異様である。日露戦争に勝利した日本の意気軒高が反映したものか、次なる戦火への恐れなのか。はたまたエゴイズムの暴発なのか。いずれにせよ、この「赤」の行進は、当世を象徴する心象風景だったことは間違いない。

現代のエンタメ文芸の世界において『それから』の漱石の真似事をしてみてはどうですか、と言っているわけでは毛頭ない。漱石の文章は明治の文豪の中では抜きん出て現代的だが、それと同じことを、この同時代性のさり気ない演出に感じるのだ。

コラム　べからずの部屋　その③「主人公の経済基盤」

失踪した近親者を捜しまわったり、興味半分にしばしば取材に出かけたり。この主人公はどうやって食ってるんだろう……。サスペンス小説でふと疑問に思う瞬間があるものだ。金銭面もそうだが時間の問題だってある。欧米には有閑階級というものがあり、しばしば探偵役を担うことになる。だがわが国の小説作者は、主人公まわりの経済基盤をちゃんと設定しておかねばならず、それが辛いところだ。リモートワークが主体となったサラリーマンであればいちおう問題解決となるだろうが、凡庸のそしりは免れまい。

いっそサバティカル・リーヴ中の学者だとか、すでに首切りに遭って退職金を手にしているのに家人には告げず行動している男とか。時間と金の問題を説明できるシチュエーションの案出もまた、プロットの一環なのだ。

時代劇で浪人者のたづきの手段といえば「傘張り」が定番だが、それだと江戸市中が傘だらけになってしまう。宮部みゆき、青山文平などの作品はこの点でも取材が行き届いており、講釈師、代書屋、戯作者《げさく》、手習い算盤、朝顔栽培など様々なケースが経済的生活観を伴って描かれている。ことに宮部みゆき『桜ほうさら』では主人公に仕事を世話する貸本屋がいて、そこから「起こし絵」の世界に話が及び、江戸期のハイレベルな娯楽文化を味わえる。傘張りしか思いつかぬ時代作家にはこの種の研究を強く促したい。

第七章　テーマを説くな、テーマを可視化せよ

テーマになり得るものと、なり得ないもの

私の小説のテーマは主人公の成長です、という発言をしばしば耳にするが、これには大変違和感を覚える。

たぶんテーマという言葉の定義の問題なのだろう。私の場合は、一般的すぎるかも知れないが、著者が読者に特に訴えたいこと、これすなわちテーマである。なので、「成長」を読者に訴えるとはどういうことなのか、想像がつかないのである。

先にも述べた通り、主要な登場人物は作品のなかで何かしらの変化を遂げるものだし、

また変化がないと小説が面白く展開しない。多くの場合、その変化とは「成長」であるわけだが、これが「退化」や「矮小化」であってもかまわない。登場人物の幾人かが成長し、幾人かが退化し、成長した者たちが何がしかの事を成し遂げる、という風に進むのがごく普通のありかただろう。

例外は本格推理小説の探偵役で、この人物は変事に動じないばかりか、物の見方や言動すべてに不変の通奏低音がある。特にシリーズ物の探偵役は、全人格でもって推理するのでキャラがブレては困るという事情がある。またサイコパスもこの同類だ。

サイコパスは、一般人が言葉を失うようなショッキングな出来事に遭遇しても、心拍数が変わらないという。それくらいだから、サイコパスには人格的な成長を望むべくもない。

特殊な例外を除いて、小説の作者は主要人物を成長させてやる義務があり、これはもう小説が小説であるための必要欠くべからざる条件なのだ。つまり通常の場合、テーマと別次元の要素だということ。

従って、「成長」それ自体が「テーマ」となるためには、「成長」に新たな意味を見出すなどの発見が不可欠となろう。ピカレスクロマンの主人公や歌舞伎の色悪たちがある時点から放ち始める魅力、公序良俗の側からは成長と呼ぶわけにはいかない、そうした「成長の変異種」ならば、十分にテーマとなることだろう。

公序良俗もテーマにならない

この世の大半の人々が良しとしている社会的価値観を、漠然と「公序良俗」と呼んでいいなら、これをそのまま、何のたくらみもなく小説に反映させようというのは愚行である。

信号の点滅で道を渡ることを断念する人、キセルなどの小さな違法行為を憎む人、嘘をついたことのない人、イジメに加わったことのない人。全身が公序良俗で出来ているような、こうした人達なら、小説に描かれる側にまわるべきだろう。この手合いは九十九パーセント、意識しないまま嘘をつき、意識しないまま弱者を苛め、意識しないまま違法行為の末端を担っているからである。

現実世界で罪を憎み正義を応援し、弱者を助ける行動をとる人たちは称賛に値するし、自分も出来るならそうありたいものだ。

しかし小説内世界となると別問題である。人の心の危うさをこそ好んで描くのが小説というもの。最終的には主人公が正義の側を選択するとしても、ジレンマに陥った際に悪魔の誘惑に乗るといった迷い道をし、なかなか抜け出せなかったりするものだ。そうでなくては「物語」にならないからである。読者というものが、正義の勝利という結論だけを告げられて満足するわけがないではないか。そのプロセスをこそ楽しみたいのが読者であり、プロセスのいっぱい詰まっているのが、小説という謎の装置なのだ。

七つの大罪

キリスト教社会には、古来「七つの大罪」と言われる、七種類の罪の概念が存在する。聖書で探してもこの言葉は出てこないのだが、西欧社会のものの考え方が端的に分かって、文芸一般を理解するさいにとても役に立つ。

傲慢の罪、憤怒の罪、嫉妬の罪、怠惰の罪、強欲の罪、暴食の罪、色欲の罪。

この七つが、この世の罪の中でも最大級のものというわけだ。「公序良俗」「道徳」が今ひとつ曖昧で定義しにくく、国家や時代風潮の影響を受けやすいものなのに比べて、こちらはトマス・アクィナスを始めとする大学者たちの思考の歴史が反映されていて、時代の制約からか多少の変容はあるものの厳密な定義がなされている。

七つの中にも順番があって、第一の大罪とは傲慢の罪をさす。ローレンス・サンダーズに『第一の大罪』から始まるシリーズ作品があり、第一弾はやはり傲慢の罪がテーマであった。またデイヴィッド・フィンチャー監督の猟奇殺人を扱った映画「セヴン」が七つの大罪をテーマにした作品であることは周知であろうが、そのほかにもアニメ化されてヒットした漫画『七つの大罪』などもあり、ネタとしての視聴率の高さは驚くばかりだ。

ピンとくる罪、こない罪

このうち、現代日本人にピンとこないのは暴食の罪と憤怒の罪ではなかろうか。先進国では食糧難というほどのパニックが起きたことがないので、大食い競争が盛んにおこなわれ、飢餓に苦しむ人々の惨状など頭を掠めもしない。つまり暴食の罪は今の日本人にとってリアルではないということになろう。

また、憤怒の罪であるが、激しい怒りのどこがいけないのかと問い詰められそうな気がする。理不尽なことに対して正しい怒りを持ちましょう、といったフレーズを、何事にもしらけ切った日本の若者に訴えるのは大いに結構なことと思うし、そもそも日本人は怒らなさすぎなのだ。なので「憤怒」が至る所にはびこっている環境にいて、その弊害に苦しんだ歴史がないと、これもピンと来ない可能性がある。

強欲、色欲は比較的わかりやすい罪だ。色欲の弊害は、古今東西の文芸に、これでもかとばかりに記されているし、むろん現代においてもリアルである。ただし若者の脱性欲化が深刻なので、リアルの度合いは年々薄れてゆく運命にあるのかも知れない。

真山仁氏の『ハゲタカ』シリーズは有名だから、強欲についてはは説明不要かというと、そうでもない。欲というやつは、食欲でも色欲でも金銭欲でもそうだが、食えば食うほど、情交に耽れば耽るほど、金を儲ければ儲けるほど、飢餓感が高まってゆくものだ。つまり、ポイントは、強欲というやつが自己増殖を繰り返す点にある。この罪に捕らえられた人は間違いなく不必要な次元まで進み、そこで自己回転を始める。その姿は、まさに悪魔に魅入られたもののごとくである。

「こうであったはず」の自分になる

自分のなかにある無意識のパワーが何かのきっかけで目覚めて、スーパーヒーローや魔法使いに変身してゆくといった話は、ギルガメシュ叙事詩からこのかた、人類史に時折ブームを巻き起こしてきた。人は今この時を生きている等身大の自分が時々嫌になるのか、「別の自分になりたい」という願望が噴き出すことがあるらしい。特に現代はそれが強迫観念にもなっていて、『新世紀エヴァンゲリオン』や『機動戦士ガンダム』、『ハリー・ポッター』などに熱狂する素地があるようだ。いや、江戸時代の文化文政期の妖怪ブームや、ほぼ同時代、神仙界を訪れ呪術を修得したという少年を養子にまでした平田篤胤の存在を考えると、こうしたブームは間歇的に訪れるものかも知れない。

小泉悠氏によれば、ウクライナに軍事侵攻したロシアでも、近年、東側世界の中心であったソ連時代の栄光を取り戻そう、あるいは、ピョートル大帝やエカテリーナ女帝、場合によってはイワン雷帝まで遡って、「かつての輝かしいロシア」の回復を夢想する空気が広がっていたという。これも「別の自分になりたい」という個々人の欲望と無関係であるはずがない。

これと似たムーヴメントとして、美容整形のような人体改造や、自己啓発セミナーのような意識改革があり、スポーツ界のドーピングもそれに連なるものだろう。それどころか、すでに我々はＡＩによって脳を拡張する方法を全世界に及ぼしているではないか。一昔前であれば金を稼ぐためとか、名誉が欲しい、権力が欲しいといった分かりやすい動機が主流だったが、今ではＳＮＳで評価されるのが至高の幸せであるといった新しい価値観が急速に市民権を得つつある。ＳＮＳの評価が、多額の紙幣や地位や金メダルよりも上位にあるという世界観は、結構小説的だと私は思う。

人間の強欲は、現代を迎えて急激に変質した。そこにこそ現代の核心があるのではなかろうか。

我々はその人格のなかに「別の自分になりたい」というキャラクターを宿した存在である。「七つの大罪」のなかの「強欲の罪」は今現在、こういう展開をみているのだ。親にもらった身体では自己実現できない、という基本認識を含めて、これは小説のテーマらしいテーマだと思う。

小説のテーマに多い「三つの大罪」

残るは、傲慢の罪、怠惰の罪、嫉妬の罪、この三つである。

嫉妬は、誰しも心当たりがあるので理解は容易だろう。恋をめぐる嫉妬、親の愛情を奪い合う兄弟間の嫉妬、相手の能力への嫉妬、相手の生育環境に対する嫉妬。ここまでは分かりやすいジェラシーだが、近年は驚くような嫉妬の形態が語られるようになった。

ひとつのパターンは、親から子に対する嫉妬といった、上に立つ年長者の抱く感情で、未成熟なまま親になったことが原因と思われがちだが、どうやらそれだけではなさそうだ。また、「神のイエス・キリストに対する嫉妬」といった、日本人には理解の及ばない感情もあって、小説の書き手にとっては格好の研究対象にちがいない。

最後の二つ、怠惰の罪と傲慢の罪は、どちらも解釈の幅が広く、そこに哲学的な面白味があるので、テーマの展開が二重底三重底をもっているようなダイナミックな小説が、その実験場として相応《ふさわ》しかろう。

教皇フランシスコが指摘するコロナ禍時代の「怠惰」

怠惰の罪——これはただの怠け心を指しての言い方ではない。

コロナ禍の時代になってから、ローマ教皇フランシスコの演説集『パンデミック後の選択』が出版されたが、そのキーワードの一つは「無関心のパンデミック」というものであった。疫病に苦しむ発展途上国とその人々の存在を、ともすれば無視しようとする先進国のエゴが教皇の視野にあったことは間違いなかろう。そもそもキリスト教は、ペストなどのパンデミックの度に信頼を得て信者を増やしてきた。ゆえにパンデミック自体よりもそれに対する無関心の蔓延のほうが恐ろしいというわけだ。

この世で「無関心」ほど罪深いものはない、という考え方に私は心から賛同する者である。憎悪や嫉妬は、その相手を認めてこその感情だ。「無関心」においては、その前提が崩れていて、これは自分以外の存在を認められない者が心に抱く「何物か」ということになろう。こうした虚ろな「何物か」こそが怠惰の罪の核心ではないだろうか。

苦難の渦中にある他者が眼前にいても目に入らないとなるとサイコパスさながらに思えるが、苦しむ人を助けるべきと分かっていて看過するケースだと言うなら、それは誰しもが日常的に体験することだろう。東洋にも「義を見て為さざるは勇なきなり」という論語の言葉があることをご存じだろう。

この「怠惰」の感触は、小説の世界でも広く見られるはずだ。事件の目撃者がいて、現在勾留中の容疑者は事件に無関係と知っているのに、誰かの眼が怖いために冤罪だと指摘しなかったとすれば、ここに立派に怠惰の罪が成立する。もっと複雑なケースだと、冤罪を指摘すれば人に知られたくない自分の秘かな趣味が暴露されるために真実の証言が出来ないといったヴァリエーションも考えられよう。

「自分は基本的に正義の側にある」と信じている人たちがこの世の大多数だとしても、

そのうち何人が、真実を語ると自分の立場が不利になる状況で正義を行えるか。怠惰の罪に当たるか否かは、これを問題にしているのである。それを渋る心がこの罪を犯しているわけだ。

「ホイッスルブロゥワー」という言葉があるが、これを日本語に訳すと「内部告発者」という大層な言い方になる。もとは「警笛を鳴らす者」という意味で、社会正義を行うためにブラックボックス化している組織の不正を内側から暴く行為をさす。「内部告発者」となると、日本では裏切り者の同意語であって、翻訳家には気をつけていただきたいものだ。

偶然に目撃した不正行為を、様々な脅迫にかかわらず告発できるのか。アメリカのような証人保護プログラムのない国で、お礼参りを誰が責任を持って防いでくれるのか、という問題が日本にはある。同じく日本的な現象として、女性が性犯罪の犠牲になったり性的嫌がらせを受けたりした際も、世間の目が気になって告発が行われにくいことが多い。怠惰の罪をめぐるテーマは、こうした様々な現実の裏に存在するはずだ。

第一の大罪

怠惰の罪にも増して小説のテーマにふさわしいのが、七つの大罪の筆頭に位置する「傲慢の罪」である。

そもそもは、神に代わってこの世を支配しようとするルシファー＝悪魔の行為がその典型で、神をダイレクトに侵害するために罪の中でも最大のものとされるわけだ。

とは言え、この日本で「神に成り代わる不遜な行為」を真正面からテーマとするならば、その作品の舞台は遺伝子操作といったサイエンス分野に限られるだろう。宗教哲学は日本人の最も苦手とするところだからだ。我々にとっての傲慢の罪の本当の使いどころは、もっと別のところにある。

宮部みゆき氏の作品には、ＳＦ的設定を取り入れた作品が多数あり、初期の傑作『クロスファイア』や、近作『悲嘆の門』がそれにあたる。これらの小説の主人公は、それぞれに特殊能力を持っていて、あるキッカケからその力を正義のために行使するようになる。そして、その行動が次第に快感を伴ってくるのだ。

これら二作品の通奏低音となっているテーマは傲慢の罪である。どの行為がそれに該当するのかはこの紹介文ではお分かりいただけまいから、ご一読を勧める他ない。

一般論として、神ならぬ身が人を裁く、私刑を加えること、これはミッキー・スピレインの『裁くのは俺だ』や人気時代劇「必殺」シリーズに共通するプロットなのだが、考えてみれば魔女を裁いて火刑にしたのは人間であり、正義の名のもとに戦争を引き起こしたのも人間である。「人を裁くなかれ」云々の聖句は、人間が最も守りにくいものではないだろうか。

次に紹介するのもまた宮部作品なのだが、傑作が多いのでこれはお許しいただくしかない。二・二六事件を扱った『蒲生邸事件』というタイムトラベル物のSFがそれだ。事実としての歴史を知っている現代の人間が、過去の人間を救おうと行動する。しかし過去の人々からすれば、未来から来た人間が語る歴史が本当だとしても、自分たちの人生の真実は今を生きるこの五里霧中のなかにあり、そこに気づかないあなたは傲慢なのだ、ということになる。

そしてこの傲慢の罪の重さこそが、タイムトラベルの「未来の人間が過去を変えてはならない」という大原則を成立させるのではないか――そうした、目から鱗が落ちるような示唆がこの作品には含まれている。つまりはテーマと時間旅行の根源をダブらせた点で画期的な作品であった。

傲慢の罪とは、何も威張りくさった態度をさすわけではないのだ。自分の善意を信じている人や、自分の言動が正義の側にあることをいささかも疑ったりしない人こそ、日常的に傲慢の罪を犯し続けているのかも知れない。第一の大罪というやつは、神出鬼没で、どんなシチュエーションだろうが、だれかれ問わずに現れるものだ。そして一見しただけではそれと分からないことが多い。だからこそ小説のテーマになりやすいし、追及する価値があろうというものだ。

このように、「七つの大罪」を覗き窓として世の小説を解釈できるということは、書き手にとっては、逆に「七つの大罪」を着想のベースとしてテーマの充実化をはかれるということだ。言ってしまえば、これはテーマを考える上で結構使い勝手のいいツールなのだ。他にもこうしたツールは存在するかもしれないが、私は寡聞にして知らない。

そして動機、さらにテーマへ

作品のなかで主要登場人物が抱く感情や欲得、あるいは思考でも行動様式でもよいのだが、これらが先に述べたツールに絡んで進化し、あるキッカケから「行為」の形をとる。このプロセスの後半部分を「動機」と言うのだろう。

殺人を扱うミステリー小説だと、「ホワイ・ダニット＝何故殺したのか」が動機にあたり、近年では「フー・ダニット＝誰が殺したのか」「ハウ・ダニット＝どうやって殺したのか」よりも大事なセールスポイントになっているようだ。もともとミステリーにおける動機の解明は、小説の最後に為されるもので、作品に深みを与える最大の要素であった。

ただ単に「性欲が昂進して」とか「金が欲しさに」といったことが動機となるよりも、例えば先に述べた「小説に多い三つの大罪」の中のいずれかの方がいいに決まっている。そうでないと「動機の解明」に読者の注目が集まるわけがない。

ひと頃までは、「親を殺されたことへの復讐」という動機が結構多かったものだ。「実はこの女性は被害者の婚外子だったのだ」というのが最後に明かされる真実だったりすると、謎が解明された後にテーマが顔を出す余地もない。

一九九〇年頃に流行った民族紛争を取り上げた国際冒険小説でもこうした肉親の死をめぐる動機が一般的で、現実を反映させただけと聞けば納得せざるを得ないが、決して面白くはなかった。日本人の肉親への情が薄くなったせいばかりではないだろう。

狭義の「動機」は、ある行為とあくまで一対の因果関係をなすにすぎないものだが、それだと被疑者への尋問調書に似てしまう。小説における「動機」は、作家がオリジナリティを発揮できる最大級のポイントであり、「テーマ」に直結して最後のクライマックスを盛り上げる橋頭堡のようなものだ。世に言う「テーマ」とは、動機をきっかけに始まる行為全体を、あらためて意味づけし、読者が我がこととして感じられるよう一般化してみせることだと思うが、その成否の大部分は、この「動機」にかかっていると思う。

動機は時代を映すのみに非ず

ディーン・クーンツは『ベストセラー小説の書き方』のなかで、自作に照らすなどのサービス精神を発揮しつつ「動機」を分析してみせる。彼が「動機」の構成要素として挙げたのは次のようなものである。

「愛情　好奇心　自己保身　義務感　愛や欲望　自己防衛　金銭欲　自己再認識　復讐」

うーむ。これには少しガッカリした。確かにいずれも動機形成に縁のあるものばかりだが、クーンツほどの作家なのに「動機の系統樹」のようなものを示さず、ただ自作を振り返ってアトランダムに挙げてみせただけといった印象である。「動機の重層化」をはかることを提唱し、これらをうまく組み合わせることが効果を生むのだという件りには大いに賛同するのだが。

エンタメ小説の世界的大先達が活躍した時代が、人間を突き動かす動機の点で、そんなに牧歌的だったとは思えないのはさておき、やはり現代においては、凶悪な事件の犯行動機に目を配っておく必要がありそうだ。

近年報告が相次ぐようになった「代理ミュンヒハウゼン症候群」。これは例えば、病気で入院している子供の世話を完璧にこなすことで院内でも評判だった母親が、その評判を持続させようと、治りかけた子供に軽い毒物を秘かに与えていたことが発覚するといったケースである。自己承認願望――せんじ詰めればこれが母親の動機ということになる。現代社会では自分の存在価値を見失いがちなのだろう。

SNSで高い評価を得たいという願望、それも勤務先での評価や金銭的成功などそっちのけで、ネット空間の不特定多数から称賛されることの方が遥かに喜びが大きい、といった人々が急激に増えつつあるのだという。ゲーム空間のほうが実生活よりもリアルだと言う人たちと共通したものを感じるが、こうした倒錯現象は、現代小説にふさわしいコンテンポラリーな動機を考える上で重要なベースだろう。

私は、世の中が複雑化してきたために「動機」も複雑化する一方だ、などと言いたいわけではない。ワイドショーのコメンテーターなら、現代を「過剰な進化、複雑化」の時代とみるという共通理解の下で、大同小異のコメントを口にするところだが、それはむしろ逆で、世の中は退化と単純化への坂道を下っているのではないかと私は考えている。

貧富の差の急拡大がその背景にあるからだ。「貧困によって再生産された貧困」が教育レベルやモラルの低下をも再生産するからである。この世の楽しみはケータイ一個に集約できてしまう、といった時代を世界は迎えつつあり、いわゆる「下層」にカテゴライズされる人々の満足度は、社会調査によると決して低くないことがしばしば報告されるようになった。しかしながら、貧困は当事者にとってはさほど重大な問題でないかわりに、社会にとっては十分脅威となる可能性がある。

『火車』に見る動機からテーマへの進化論

この点を『火車』（宮部みゆき）は早くも一九九二年にテーマとして取り上げている。

経済学者のトマ・ピケティ教授が「格差社会」の是正を提唱した二十年以上前に書かれた小説である。ここでは主要なキャラクターとして二人の女性が描かれるのだが、一方の女性の行動原理は、若者らしく色んな物を買いたい、オシャレしたいといった普遍的な欲望に基づくものである。あえて「七つの大罪」に当て嵌めて考えると「強欲」がそれに当たるだろう。

「強欲」は連鎖し、麻薬のように自己回転を始めるものだ。そればかりか、この連鎖はもう一方の女性との抜き差しならぬ関係をもたらすのだ。

ミステリー作品なのでこれ以上は明かせないが、そのプロセスはまさに運命としか言いようがない。小さな「強欲」の動機が社会システムによって肥大化する物語があり、それが貧困の連鎖、あえていえば「貧困の遺伝」を描く物語と出会ったとき、「傲慢」の罪が姿を現わすのである。

ピケティ教授が喉元まで出かかりながら言語化できなかった地平に、『火車』はとっくに届いていたのだ。そのことに驚きを覚える一方、このテーマの最終形から遡ってみると、「行動原理」と「動機」はつながっていて、その背景を深掘りすると「七つの大罪」のいずれかが顔を出すという流れが分かっていただけるだろう。

時代小説における動機は、現代小説より素朴!?

もう一点、私が強調しておきたいのは、『火車』の普遍性である。この現代の古典が、二十世紀末特有の動機やテーマを扱ったものと考えないほうがいいということだ。

時代はどんどん複雑化してゆくから、動機もまた進化するのだ、といった今どき流行らない未来学者みたいな考え方を捨てること。

でないと、歴史時代小説を書く時、どうするのですか？

時代小説に登場する人物たちは、産業革命すら経ていないから今よりうんと単純で純粋、かつ欲望むき出し、なのだろうか。いえいえ、人間が考え行動するときの基盤みたいなものが、現代と幕末や戦国時代でそんなに違っているはずがないではないか。

今村翔吾氏の『八本目の槍』に描かれた八人の武将が、関ケ原の戦や大坂夏の陣といった共通の一大イベントを迎えてそれぞれに覚悟を決めるときの「動機」は、一六〇〇年前後の時代相に深く結びついていながら、読者の想像をはるかに超えるような現代性を備えているのだ。

歴史時代小説の利点は、身分制度や仕来りなどの社会的制約や、男女間の倫理的タブーの多さが、ドラマツルギーに大きく貢献してくれる点である。主人公が囚われるジレンマの作りやすさも、封建社会なればこその利点だろう。その意味でも、作中人物の「動機」のヴァラエティという点で、歴史時代小説にまさるジャンルはない。現代が「退化と単純化」への下り坂にあると言ったのは、こうした動機のヴァラエティの枯渇を指してのことなのである。

作者がテーマを語るのは是か非か

作者が読者に訴えたいこと、これ即ちテーマであろう。であるならば、作者は自分の主張を小説のどこかで実現しなければならない。ただし実現の場は小説なのであって、エッセイや論文や演説会などではない。

演説や論文で持論を展開するのは当然のことだ。もってまわった言い方ばかりしていると「おまえの意見はどうなんだ」と難詰されるのがオチである。

エッセイもまたしかり。論文などと違って文芸の一ジャンルなのに、ここでは真実を述べることが前提なので、小説や演劇が属する「フィクション」の世界と大きく違っているのだ。

フィクションとは文字通り「作りごと」「虚構」であるから、嘘で固められた世界に違いない。その代表選手である小説が、エッセイや論文みたいにストレートに作者の主張の展開される場であるはずもなかろう。

十八世紀に書かれた『トム・ジョウンズ』（ヘンリー・フィールディング）などを引き合いに出して、著者自身が随所に顔を出して怪気炎をあげる趣向もありではないかとの意見もあろうが、あくまで「趣向」にとどまるという限定つきだろう。『ホワイトラビット』（伊坂幸太郎）は泰西古典小説の向こうを張る仕掛けで作者自身が水先案内役を務めに登場するという例外中の例外だが、やはりメタフィクションでもない限り現代では作者が作中で発言できないということだ。

個人的意見としてすでに述べたことだが、作家がその著作についてインタビューされたときに、「この作品はこう読んでほしい」とか「私の言いたかったのはこういうことです」といった風に、読者に「正しい読み方」を強要するのは愚の骨頂だと思う。誰がどう読もうが勝手なのであって、もし、読者が作者の意図通りに読んでくれなかったとしても、問題は作品の方にあり、読者が悪いわけではなかろう。

では小説の書き手は、どんな風にそのテーマを書き表せば良いのだろうか。その答えは実はすでに書いた。第三章の構成論がそれである。

フィクションにおいては、ダイレクトにテーマを表出することが説得力を減殺させてしまう。「結果として」「気づかぬうちに」読者が説得されていたという形が取れない限り、その小説は一番大事なところで失敗を犯すことになるのだ。

読者をテーマに誘い込み、読者は感動とともに何物かを得る――この仕掛けが、以前述べた「構成」のなかに存在するわけだ。

主人公がテーマを語るのは是か非か

作者の本音としか思えないことが地の文で書かれていると、フィクションでは却って説得力を失うというのであれば、主人公にテーマを語らせるという方法があるではないか――これは至極もっともな意見だろう。

たしかに古今東西のあらゆる小説で、テーマと思しきものが登場人物の間で口々に論じられてきたし、読者もそれを楽しんできた。特に泰西古典小説では長ゼリフによる対話が特徴的で、ひとりの会話文が二、三ページにも及ぶこともある。ドストエフスキー作品に見られる長広舌や『魔の山』（トーマス・マン）におけるセテムブリーニとナフタの長大な対話はその代表格だろう。

しかし、主人公が、作者の意図をダイレクトに背負って、早々と「正解」を口にすることはご法度である。その証拠に、古典的名作のいずれもがそうなっていないではないか。テーマ的解決にたどり着くまでの長い長い道程こそ小説そのものだから、敵役や脇役が「いずれは否定ないし修正される意見」を述べて主人公を悩ませるのだ。

とは言え、最終的に主人公の言動のなかに「正解」があるとしても、それを主人公が得々と演説しては元も子もない。主人公は作者の分身と見なされるから、作品の中で自著解説をやるのと同じことになってしまう。

いちばんスタイリッシュなのは、主人公が、その行動によってテーマの核心を読者に示す形であろう。言葉を尽くして滔々と語る文化のないわが国では、このハードボイルドな方法が案外似合っている気がする。

したがって、主人公がテーマを説くのはご法度というわけでは必ずしもないが、結構ダサい、という結論になる。

「可視化」されたテーマだけが読者を揺さぶる

作品のテーマを、作者に成り代わった主人公が滔々と語るのは、少なくとも現代日本ではあまり得策ではなさそうだ。口ばかり達者であるより黙って行動で示すほうが、読者はよほど納得してくれるのが道理である。小理屈を並べたりせず、何か感情に訴える形で、あるいは目に見える形で、読者にテーマを提出する——そのためには、具体的にどうすればよいのだろうか。

天童荒太氏は、『ペインレス』を書いたとき、この「テーマの可視化」問題について徹底的に検討した。そもそも言語だけがツールである小説だから、色や音や味、そして「痛み」といったものがダイレクトに表現できるわけではない。また「痛み」を言語表現のみによってリアルに再現できなければ、「痛みのない健康な状態」と「痛みを感じるべき時に感じられない状態」との差異を示すことが出来なくなる。

このハードルを越えたとしても、テーマに関する勝負はこれからだ。痛みとセックスの相関関係を読者の眼前に展開させる序盤の設定が、「可視化」の第一段階。第二段階以降はそこに愛と進化の対立という新たなテーマが絡み、人物たちと設定が呼応するのだが、詳しくはご一読をお勧めするしかない。

注目すべきところは二点ある。一つは５Ｗ１Ｈ的な設定にテーマを色濃く反映させていること。当然と言えば当然だが、行うは難し。だが肝心なポイントは「ジレンマの設定」のうまさにある。作中でジレンマ（場合によってはトリレンマ）は、テーマ的な対立要件を主人公格の二者（あるいは三者）に背負わせる形で表わされる。流血を覚悟しなければならないような岐路がビジュアルで示されるわけだ。ここにテーマを寄り添わせることで読者は作者の企みに巻き込まれてしまう。

可視化という意味では、アクション映画の多くがそれを達成している。復讐がテーマならば、敵味方双方で誰々がどんな苦悩を抱えているかは明確で、胆力、技能の持ち主もきれいに配備されていて分かりやすく、まことに気持ちが良いものだ。「やられたらやり返すのが当たり前」と思っている人々が観客なので、テーマにはさほど説明を要さない。

これに対し、読者を議論の土俵に連れてくることから始めなければならない小説一般の場合はいかにも難しそうに見えるが、ジレンマを作る処方箋は、実は同じもの。『ペインレス』の場合も、テーマの見せ方について抽象化して考えれば、その根本はアクションション映画と同じなのだ。

コラム　ツカミのある冒頭　その④「手紙」

手紙というツールの登場場面は実社会ではめっきり減ってきたので、「文字列による少し改まった通信文」と定義し直してもいい。小説の世界ではこの手紙という形式が洋の東西を問わず広く用いられてきた。『錦繡』（宮本輝）、『同時代ゲーム』（大江健三郎）といった、手紙文体のみで書かれた作品さえ存在するくらいである。往復書簡形式が必ずしも主流ではないのが意外な点で、一方的に手紙を送り続ける後者のタイプには髙村薫『晴子情歌』も含まれる。

桐野夏生『残虐記』はある出版社に届いた手紙を冒頭に据えた作品で、送り主は女性作家の夫。彼女が「残虐記」と題された手記を残して失踪したことを知らせる手紙だった。小野不由美『残穢』は一風変わっていて、著者らしき「私」が以前刊行した作品の「あとがき」に「怖い話を知っていたら教えてほしい」と書いたことに対し、ずいぶん経った時点で手紙が舞い込んだ、という設定である。

両者ともに、湯気の出ているようなリアルな何かを喉元に突き付けられたように感じるのは何故だろう。やはり手紙がやり取りされる空間が「ビトウィーン・ユー・アンド・アイ」の密室性で成り立っているためだろう。この二つの名作は、ともに密室的な切迫感に満ちており、手紙が小説の冒頭を演出する重要なツールとなり得ることを証明してもいる。

第八章　ロジックで押し切らないという選択

コンバート

時間潰しに入った銀座の山野楽器で、ブラームスのピアノ協奏曲第三番のＣＤを買ってしまった。十年ほど前のことである。

ブラームスのピアノ協奏曲は二つしかないはずだが、ことによると遺稿が発見されたのかも知れないと、慌てて入手したのだが、よくよく見るとヴァイオリン協奏曲をピアノ版に書き換えたと書いてあるではないか。二〇〇九年のライヴ録音盤である。

落胆したものの気を取り直してプレーヤーにかけると、これが意外とイケるのだった。

こういう手口はままあるものだが、引っかかるのも悪くないなと思った。だって個人的にはブラームスのヴァイオリン協奏曲はさほど好きではなかったのに、ピアノにコンバートされた途端、好ましく感じられたのだから。

英語のコンバートという言葉には、もう一つ重要な、改宗者という意味がある。もちろんカトリックからプロテスタントへの改宗であり、旧教側からすれば許せない裏切り者ということにもなるのだ。

協奏曲で独奏楽器をコンバートするなら——この場合はヴァイオリンからピアノへだが——大袈裟に言うと「ジャンル変更」に該当する。弦楽器と打楽器の違いは結構でかいものなのである。

こうしたコンバートが、わが国の大物女性小説家のあいだで、二十世紀末に集中して発生した。

裏切り者呼ばわりされた直木賞作家

桐野夏生氏が直木賞を受賞したのは一九九九年のこと。対象作品は『柔らかな頬』である。

このときミステリー畑の評論家たちが、半ば冗談、半ば本気で「桐野はミステリーを捨てた裏切り者だ」と言い立てたのであった。

その少し前、桐野氏は『顔に降りかかる雨』で江戸川乱歩賞を、そして『OUT』で日本推理作家協会賞を受賞したばかりであったし、ミステリー界は大物の登場に盛り上がっていたのである。

それが『柔らかな頬』という非ミステリー系の作品で直木賞に輝いたために、二重のショック・ウェーヴだったわけだ。

今、非ミステリー系と言ったが、『柔らかな頬』は、子供の失踪事件を追う母親の物語で、刑事はむろん登場するから、謎解きと追跡のプロットを持つ作品なのだが、ラストまで行っても結局は未解決で終わる。その意味でこの作品はミステリー&サスペンスらしく感じられる外観はあっても決してミステリーではないのだ。だいいち作者にその意図がそもそもなかった。

たぶん桐野氏は、二十世紀末あたりから小説のメインストリートを見つけたのだ。そのためにミステリーからコンバートした。別に裏切ったのではなく転向しただけだ。

ミステリーを踏み台にする度胸を持て

小池真理子氏も、『仮面のマドンナ』『プワゾンの匂う女』『夜ごとの闇の奥底で』等の心理サスペンスで高い評価を受けながら、次第にミステリーから撤退を始め、九〇年代半ば以降、直木賞の『恋』、島清恋愛文学賞の『欲望』と、無事にコンバートを完了している。

もう一度ミステリーを書いてほしいと、ファンや編集者が願ってやまない作家が髙村薫氏である。二十世紀末に『マークスの山』『レディ・ジョーカー』を刊行して読者をシビレさせた彼女だが、二十一世紀になって『晴子情歌』を書いたのを皮切りに、ミステリー・リーグには帰って来なくなった。ミステリー&サスペンスの世界にリアリティを感じられなくなったということらしい。「純文学」が天職であることに、世紀の境目で気づいたという格好だ。

この作家たちは、本当に書きたかったものを書くために、マーケットが要求するミステリー&サスペンスの分野でまず新人賞をとるなどの評価を得て、それを踏み台にして本懐を遂げたケースである。実に鮮やかな手並みと言うべきで、これは才能あるデビュー前の新人に是非とも真似してほしい処世術だ。

ただし間違えないでほしい。ミステリー&サスペンスを書き切るだけのロジカルな構成力があればこそ、ミステリーから離れて一般小説を書くにあたっても、それが生きてくるということなのだ。その意味で、やはりミステリーというジャンルの存在意義は大きいと言えよう。

よく、自分はロジック面が弱いからミステリーには向かず、ホラーやファンタジーを書こうと思うのだが、といった相談を受けることがあるが、私はあまり「是非そうするべきです」とは言いたくないのが本音である。ホラーやファンタジーならロジカルな構成力は弱くていいのかというと、そんなことは全くないからだ。

ミステリーやサスペンスとの違いがあるとすれば、怪奇かつ謎めいた対象に対してリアルで科学的な説明がつけられるか否かという点があるだけだ。謎がきれいに解明されるということはロジックの輪がきれいに閉じているということ。不思議な設定を「そういう世界だからヨロシク」とばかりにあえて説明せず、謎が謎のままで残ったりするのであればロジックの輪は開いている、ということになる。

これは作者の意図的な選択なのである。「でもしか」でホラーやファンタジーに向かわないでほしいと心から願うものである。

ミレニアムで別の作家になった!

ミレニアム前後に『理由』と『模倣犯』という重要な作品を書いた宮部みゆき氏だが、実はこのころから作風が大きく変わっている。「作家生活30周年記念インタビュー」でも、こうした「進化」についての問いに答えて、それが意図的なものであることを仄めかしている。

しかしそれは、ミステリーを書かなくなったというような「転向」ではない。ミステリーが重要なジャンルであることに変わりはないものの、書き方に大きな変化が起こったということなのだ。

二十世紀の間は、「フー・ダニット」「ホワイ・ダニット」「ハウ・ダニット」を、それぞれに完璧を期して追求したが、私の解釈では、宮部氏はそうしたミステリー構造に飽き足らなくなったのだと思う。特に犯人の持つバックグラウンドに、であり、右の三要素で言えば「ホワイ・ダニット」に対して、である。

『模倣犯』では、犯人の描写は徹底的になされるのに対し、その人物が出来るまでの物語はむしろ排除されていることに気づく。例えば『火車』だと、犯人の出自や幼少時からの人生の歩みに関しての物語が一つのハイライトであった。『白夜行』(東野圭吾)や

『海は涸《かわ》いていた』（白川道）なども同様で、二十一世紀初頭に出版された『模倣犯』は、この点ですこぶる新鮮に映ったものだ。

トラウマを背負った人々の物語

一九八〇年ごろのアメリカでは、いわゆる「トラウマ理論」が、人々の心の世界を、あるいは家庭を、文字通り席捲しつつあった。精神科医、心理療法士の超多忙時代である。幼少時に親から受けた精神的外傷がもとで、自分はまともな恋愛が出来なくなった、子供を愛せなくなった、配偶者に暴力をふるうようになった、という具合に、現実の不具合を両親から受けた虐待のせいにすることでオフセットしようとする時代が訪れたのである。

しまいには、父親から幼少時に虐待を受けたと、裁判を起こす娘たちが続出して社会問題になった。事の真偽はともかく、その後しばらくすると、このトラウマ・ブームは唐突に終わりを告げ、精神科での行列を見ることはなくなった。

日本では少し遅れてこのブームが広がり、アメリカで終焉してもしばらくは残存した。その証拠に、小説の世界でも、主要登場人物の行動原理や犯行動機に、こうしたトラウマ理論を援用するのが常道となって、今もってそれが続いている。

そうした家庭環境と犯罪行為のダイレクトな因果関係に疑問符をつけた代表格が宮部氏であった。そんな一元的な物の見方でいいのかという疑問以上に、そうした説明をつけて満足するという、描き方それ自体への深い懐疑が兆したのである。

犯罪小説で、意外で面白い動機が読者に示されたとしても、因果関係の特定を目的とする以上、それは犯人の取り調べに当たった刑事の調書や、検面調書、裁判官の判決文と、行為としてはさして変わらないではないか、それならば、犯行動機や、そこに至る人格形成上のバックグラウンドについては不明のままとする選択肢もあり得るだろう、という考え方だと思われる。私はこれに深く同意したい。

高村薫氏の『マークスの山』や『冷血』においてもこの点は全く同様だった。前者は寡黙、後者は饒舌な主人公だったが、彼らの脳内の光景が描かれれば描かれるほど、調書の持っているような因果律からは遠ざかるのが面白かった。

『模倣犯』を嚆矢とする『この世の春』に至る宮部作品、そして『マークスの山』『冷血』にも共通する「非トラウマ理論系」の動きは、恐怖の洗練された描き方につながってゆくことになる。

ロジックの輪を閉じては成立しないジャンルとは？

一般的なミステリーの持っている、因果律に支えられた科学的な世界観、科学が立証する犯罪空間の人間像といったものに飽き足らなくなったこれら女性作家たちは、申し合わせたかのようにミレニアム前後にクーデターを起こし、平和裡にそれを成功させたのだった。

彼女たちは選択的にロジックの輪を閉じなかったのだ。ロジックの輪が技術的に閉じられなくなって、ミステリー作品としての失敗作を重ね始めたわけではないことを、重ねて申し上げておく。意味のあるコンバート作戦だったわけだ。

小説におけるロジックの輪の問題は、とても大事なもので、だからこそクーデターも起こったわけだが、さて、このロジックの輪が、逆に閉じては困るジャンルがあるのをご存じだろうか。

答えは簡単で、恋愛小説はその典型中の典型だ。男女の仲がロジカルに割り切れるものではないことは、人類、いや生物界共通の認識であろう。なにせ「突然炎のごとく」始まり、燃え盛った恋なのに、理由もなく唐突に終わってしまうのだから。

そう、恋という現象は時と場合を選ばず、蓼食う虫も何とやらで、因果律が成立しないのだ。小池真理子氏は、恋に落ちた時の理由について「どうしてと問われても、そう感じたからという以外に答えようがない」といった意味のフレーズを様々なヴァリエーションで使い、私はこの瞬間を待ち望むようになったものだ。

いきおい恋愛小説は、ただの偶然を運命と勘違いするような出会いの形や、たんなる気紛れを何かのサインと見誤る過剰反応などの博覧会場になってゆく。

恋愛小説を金太郎アメにしないために

しかし、である。このような恋愛シンドロームのディテールを競うだけでは小説の態をなさないことも明白で、そこでは、オリジナリティのある「恋愛の法則」が提示されることが待たれているのだ。

山本文緒氏の『恋愛中毒』では今日の「ストーカー」に当たる事例が扱われたが、この点で、優れてオリジナルな作品だった。「七つの大罪」から見れば、恋の中毒症状が「強欲」の罪に当たることは明らかで、これは自己回転し始める厄介な「法則」を持っているわけだ。

何事にも過敏な「恋の季節」は、感覚だけに頼って書き急ぐと、読者もだんだん刺激に慣れてくるものだから、どこを読んでみても同じ味しかしない金太郎飴小説になる恐れが十分にある。

それを防げるのは、「ロジック」の恋愛小説版としての、オリジナリティ豊かな「恋愛の法則」なのだろうと思う。

例えば三島由紀夫作品。『永すぎた春』『お嬢さん』『愛の渇き』『獣の戯れ』等には、少々鼻につくくらいの「恋愛の法則」が提示されていて、欧米で評判をとった『近代能楽集』『わが友ヒットラー』『サド侯爵夫人』などと似た感触をもっている。

不可能性が高みに導く

ヘミングウェイの『日はまた昇る』のテーマは何か、文学史上にどんな位置を占めるかという議論はともかく、この小説の軸になっているのが性的不能であることは間違いない。第一次大戦は従軍した人々の心身に大きな傷を残したのだったが、主人公ジェイクとブレットの恋は、ジェイクの不能のゆえにこそ激しく燃え盛ったように感じられる。

小池真理子氏の島清恋愛文学賞受賞作『欲望』もまた、このモチーフを、三島由紀夫のエピゴーネンが建てた洋館の短い生涯を絡めながら、独特の方法で料理してみせる。

どうやら恋というものは「不可能性」というナイフで切ったときが、最も出血量が多いようだ。

エロイーズとアベラールの恋がその原点なのかどうかよくは知らないが、『剣と清貧のヨーロッパ』（佐藤彰一）によれば、騎士たちの恋においては禁欲が絶対的命題であったようで、驚くべし、性交を伴う生物的な恋の成就など決してあってはならないことだったのだ。

これではアベラールのように修道士になったも同然じゃないかと思うのだが、ドン・キホーテの憧れの女性ドゥルシネアも、最初から架空の存在だったのだから事情は似ている。要するに、純粋に恋愛を追求する姿勢を貫くと禁欲に至ってしまうという歴史が、ヨーロッパにはあったということである。

とすれば『日はまた昇る』も『欲望』も、その延長線上に位置することになるだろう。生に対する死のように、恋に対して性的不能を置くことが、文学的テーマとしての「恋」に大きく貢献するのだ。

アベラールが後に神学者として「唯名論」の創始者となったように、恋愛にも恋愛小説にも追求すべきロジックは欠かせないということかも知れない。

怖すぎた後楽園のアトラクション

ロジックの輪が閉じていないジャンルの、東の横綱が恋愛小説とすれば、西の横綱が恐怖小説、今風に言えばホラー小説である。SFやファンタジーにもその一面があるはずだが、設定された世界内部ではロジックの輪が閉じているのが普通なので、ここでは恐怖小説、ホラーについて考えてみることにする。

どこの遊園地にも恐怖を売り物にするアトラクションがたくさんあるものだ。遠心力で体が千切れるほど振り回したり、奈落の底へ突き落したり、上下動を繰り返して嘔吐させようとしたり。後楽園ゆうえんちにもそうした恐怖の遊具が山ほど設えられ始めた一九八〇年頃のこと、あるアトラクションが短期間のうちに廃止となった。

見た目は何ということもない。線路の上で乗り物がのろのろと動いており、時折その軌道がズレて、そのたびに歓声が上がっているようだ。周りからは、どこが楽しいのか歓声の源がよくわからない。

しかし、乗り物から降りてきた人たちはみな青ざめている。歓声と聞こえたのは恐怖の叫びだったようだ。よく聞いてみると、乗り物が元の軌道から別の軌道に移る時、気分が悪くなるのだという。ジェットコースターなどと違って、予期できないタイミングで、しかも思わぬ方向へズレてゆくことで、神経がもたなくなるということらしい。法則性が全く読めず、すべてが意外で、そのためのべつ警戒していなければならないというのでは、アトラクションの原義からも遠く外れていよう。

ホラー小説も、基本は読んで楽しい部分がなくては、精神に害毒を与えっぱなしの物語ということで有害図書に認定されかねない。件《くだん》のアトラクションは、人に恐怖感を与えることに集中しすぎて、その手法を大きく間違ったということだろう。

構成に問題あり

いったいどこが間違っていたのか。

一般に言われることだが、恐怖とは生存が危機にさらされている時に起こる感情である。

こうした恐怖が楽しめるというのは、結構ギリギリまで行って戻ってきた、ヤレ安心という救済感があるからだ。

ところが、このアトラクションには安心の瞬間がどこにもない。どこまで行ってもストレスだらけ。乗り物を降りても、嫌な気分が長く残るだろう。ホラー小説もミステリーも、読者に一定以上のストレスを与えなければ成立しない。だが、どこまでもいつまでもストレスフルで安心の瞬間が皆無だと、緊張と安心の差異が小さくなり、緊張の瞬間を味わえないばかりか、緊張から解放されても嫌悪しか残らないという結果を招いてしまう。

次に考えられるのは「法則性」のなさである。

遊園地への来場者は、ジェットコースターや落下傘なら、二、三秒後に自分がどうなるかある程度分かっている。次の頂点を超えたら谷底が待っていることを分かっていて、その予感を楽しんでいるのである。しかし、その予想というやつが全く不可能な世界に自分が置かれたらどうだろうか。

ある程度の法則性が分かって、それをむしろワクワクと期待するようになり、その安心感を突いて最後の恐怖がやってくる——もしそうなっていたら、この問題アトラクションも廃棄されないで済んだかもしれない。

そう、これは「構成」の問題なのです。

予感が何より大事

遠く江戸からこの讃岐に、恐ろしい罪人が、島流しに遭って送られてくる、そんな噂が日を追うごとに広がっていき、怨念のうちに悶死したという崇徳上皇クラスの流人騒ぎが、主人公の少女の周囲で起きている——『孤宿の人』（宮部みゆき）は、処刑場に集まる群衆の期待感にも似た「予感」の描写で幕を開ける。宮部氏はこうした予感を描く名手だが、ミステリー＆サスペンス以外のジャンルでも、「予感」で端《はな》から読者を手玉に取っているのが分かる。

『氷の森』（大沢在昌）や『リヴィエラを撃て』（高村薫）は、すべての恐怖の根源が、舞台に姿を見せぬ一人の男にあって、この人物のために大量の人が死んでいった、そんな男が、ラスト近くになってようやく登場するという構成が採られている。

高村作品ではその登場シーンからテーマにつながるひと展開が待っているのだが、いずれにせよ、問題の人物の恐ろしさが「周辺」からのみ描写され続けてラスト前に至るという「予感」の積み重ねが印象的だった。

今挙げた作品は、いずれもホラー作品ではない。つまりは、どんなジャンルにせよ、予感が書ければ、その作品は半ば完成したも同じとさえ言えるのではないだろうか。予感の件りが心の中に出来上がっているということは、その先の中核部も見えているはずだからである。

正体が知れれば怖くない

ここでかの有名な『ねじの回転』(ヘンリー・ジェイムズ)に典型例として登場してもらおう。

英国の、いわくのありそうな邸宅で家庭教師に雇われた女主人公。彼女の仕事は、使用人の長であるグロース夫人の管理下で邸内に住み込み、マイルズとフローラの兄妹を教えることだった。

しばらく経つと、どうやらここに二人の幽霊が出没することが、兄妹の様子から見て取れるようになる。彼らはそれを隠すのだが、幽霊の片方は主人公の前任者らしい。ただしグロース夫人には怪異が全く見えていないことも分かってくる。

この作品、名作の誉れが高すぎて古来いろんな解釈があるらしく、女主人公こそが幽霊なのだとか、すべては信頼できない語り手の狂言とする説まであるようだ。私はその可能性を云々するつもりはない。そんなことよりも、この作品で最も怖いポイントは、この兄妹が幽霊と交流していることを隠していることだ。

主人公は幽霊の朧《おぼろ》な姿を目撃はするが、それ自体は何ほどのものでもない。子供たちは亡者の世界に誘引されつつあるが、そのことを当人たちが隠していること。管理人は自分の眼に映じないために子供たちの危険な状態が実感できないでいること。これらは、女主人公がただ一人、孤立無援のまま危機を回避しようとしている状況を示している。

言語芸術は絵具や絵筆を使えないハンデがあるから、どんなに苦労しても全生庵の円朝コレクションには勝てない。また、形容詞を工夫するなどの映像的方法で読者を怖がらせることにも限界がある。そんなことより、「怖いシチュエーション」を作ることに精を出した方がいいに決まっているのだ。

怖いシチュエーションの要諦とは、すなわち予感であり予兆である。これが十分に示せれば、問題の幽鬼の描写が映像芸術のようにいかなくても、サステイナブルな恐怖を読者にもたらすことができるのである。

『抱擁』はただのパスティーシュではない

『ねじの回転』をパスティーシュした、と辻原登氏が宣言した『抱擁』という作品がある。パスティーシュとは、先行作品をなぞりつつ新たな文学作品を作る手法で、たんなる模倣やパロディとは違う。「本歌取り」に近いもの、と言えば日本人には分かりやすいかも知れない。

舞台を二・二六事件の頃の駒場付近の洋館に置き換え、細部に彫琢を凝らした傑作だが、『ねじの回転』に比してテーマがもうひと展開するという意味で原作を超えてしまっているように感じられる。

と言うのも、視点人物の小間使いが仕える、フローラにあたる小公女が、久方ぶりに再会した小間使いに最後に告げる台詞は、多くの読者を翻弄するに十分だからである。

先ほどから、ホラーは予感が大事と言い募ってきたが、まさか予感のみでラストまで行けるはずもない。『ねじの回転』では、兄妹がこの世ならぬ世界に誘引されているとの予感が描かれ、ラストにはその予感がまさに実現してしまうという直線的構成だったが、『抱擁』は誰が読んでも分かる形で心理サスペンスのエキスが注がれており、一ミリの曖昧さもなく、それが最終シーンに示されているのである。こちらは複線的な構成と言うべきだろう。

これはパスティーシュとして最高の形であるのみならず、ホラー作品として最良のテキストとなることだろう。

まず「予感」を幾重にも仕掛け、予感が盛り上がったのち幽霊などの真打が登場する。しかし、そこでは読者のテンションはむしろ低下しかける。そこで別のテーマ、辻原氏のケースでは心理ミステリー的モチーフだが、それによってラストに向けてもうひと展開できるようなプロット作りをしておく。そしてホラーらしく大ラスの台詞で読者を翻弄する——。

以上がホラー小説に特有な構成の一例である。

安易なコンバートは絶対禁止

恋愛小説だって、ホラー小説だって、結局、何らかのロジカルな構造を持つべきだというのが私の結論になりそうだ。

もちろん、ロジックの輪を閉じないままの「何らかのロジカルな構造」なんて言語矛盾なのだけれど、この柔構造をプロットのなかに織り込まない限り、小説の後半部の魅力的な展開は覚束ない。

ずうっと同じような怖さのエネルギーを保とうと、次々と新しい要素を盛り込むのは書き手の勝手だが、だいいちそのやり方では小説を終わらせられなくなるだろう。この場合はきっと自分で自分の世界に酔っているに違いない。こうした自家中毒を終わらせるための荒療治として、私は一度ミステリーを書いてみることをお勧めする。

小説初心者の方だと、ミステリーのロジックの輪がどうしても閉じられなくなったケースでは、これをホラーとして書き直そう、あるいはファンタジーにしてみようという再挑戦が試みられ、その都度失敗に終わるのが通例である。

ミステリーにおいて、謎を自分で提示しておきながら最後に至るも説明しきれなかった、しかし着想の不可思議な味わいをどうしても捨てられない、そこでホラー小説として構想を改めたい——こうした発想のどこがいけないのだろうか。

それはたぶん、ホラーにはホラーのツボがあるのを無視した考えだからだ。ホラーだと、この世ならざるものを扱うわけだから、元来、リアリズムによるロジックが閉じない世界観が、あらかじめ選択されているわけである。

ことほど左様に、安易なジャンルのコンバートは考えないほうがいいと思う。

ブラームスのピアノ協奏曲第三番が意外とイケるとこの章の最初に語ったが、それは今考えると、ヴァイオリン協奏曲自体が私の好み如何にかかわらず名曲だったことがコンバートを成立させたのだ、と分かってくる。
　ＳＦの世界観のなかでミステリーを書く、ファンタジーの形で哲学を書く、といったジャンル・クロスオーバーが自然にできる作家なら大したことではないのかもしれないが、大多数の書き手にとっては時として悩ましい問題となるはずだ。

コラム　べからずの部屋　その④「会話文は説明文の代用品じゃない」

　日本人は、その文章表現力に比して会話力がひどく落ちると言われる。それを反映してか、本邦の小説史においても、会話文が特に面白いケースは例外に属するだろう。
　日本人作家自身が会話下手だから、というと身も蓋もないが、少なくともロジカルかつ饒舌な会話文で読者を愉しませようとする作家は稀である。その稀な存在が逢坂剛や佐々木譲で、ワイズクラックと呼ばれる気の利いた会話が魅力だ。実は、会話を勉強してレベルアップをはかることが一番難しい。ワイズクラックに伏在する批評精神や自己客観化能力は、人間の知性そのものに近いので、脳ミソごと訓練するしかないのだ。これが自然に訓練されている地域が例外的に一つだけ存在し、黒川博行や町田康などの作家を産んでいる。

そうしたレベルの話はさておき、中堅クラスの作家でも、会話を説明の道具として使うケースが多すぎないだろうか。そもそも会話は登場人物の「行為」なのであって、内容の正邪は不明だから、「説明」には不向きなはず。小説の後半になって長々と謎の解明のための台詞が続くとうんざりする。探偵役はウソをつかないというお約束事は未来永劫有効なのか。会話で読者を誤誘導するくらいの精神がほしいものだ。

第九章　プロの手捌きをすぐ脇で盗み見る

隆慶一郎が最後に会いたがった男

時代小説の世界にまさしく彗星のように現れ、実働年数わずか数年のうちに数多《あまた》の傑作を世に送り出し、惜しまれつつ逝った隆慶一郎。その隆氏の「最後に会いたがった男」が安部龍太郎氏だという話は、斯界ではあまりにも有名である。

三十歳以上も歳が離れてはいるが、日本人離れしたダイナミズム、歴史解釈の柔軟さ、世界文学系の人物造形といった共通点が、二人の気持ちを通わせたものとみえる。

その安部氏とのお付き合いはもう三十年以上になる。直木賞、山本周五郎賞に何度となくノミネートされながら、その都度涙を呑んできた安部氏だが、ついに『等伯』で直木賞を受賞したのが二〇一三年のこと。受賞が決まった当夜、私は折悪しくギックリ腰をやってしまい、お祝いに駆けつけられなかったのだが、これはもう残念というより笑い話に近い。

直木賞受賞の翌年に刊行された『冬を待つ城』は、担当編集者としての私にとって大変思い出深い作品である。

かつて三十回も足を運んだことのある北辺の地が舞台であること、そして日本史のなかで私が最も好きな石田三成が登場すること。そうした好もしい設定の上、視点人物の取り方、構成、テーマの深化するさま、どれをとってもベテランらしい力量が発揮されている。

ここまで、小説について能書きばかり垂れてきたわけだが、隔靴搔痒のそしりを免れるために、この『冬を待つ城』を素材として具体的なケーススタディを始めてみようと思う。

この作品を書き始めるにあたって、安部氏がどういった決定を行い、何を捨て何を拾ったか、また、読者に何を訴えようとし、そのためにどんな方策を採ったか——。こうした視点で、傍らで目撃した担当編集者の立場から著者の手つきを再現するつもりである。

有名人がほとんど登場しないネタ

『冬を待つ城』が描くのは、豊臣秀吉の「奥州仕置き」（一五九〇年）から朝鮮半島へ出兵する「文禄の役」（一五九二年）に至る時代である。現在の青森県と岩手県の境界部にあった九戸《くのへ》城とその周辺が主な舞台となる。小田原征伐を終え、北の難敵・伊達政宗を服従させた秀吉は、全国統一の仕上げとして、中央政権にまつろわぬ一徹者を捻りつぶす挙に出た。この地に勢力を持っていた九戸氏の頭領・九戸政実《まさざね》は三千の兵でもって蒲生氏郷率いる十五万の鎮圧部隊を迎え撃つことになる。

秀吉晩年の大失策とされる朝鮮出兵直前に起こった、天下統一の最後のピースをめぐる事変であり、日本史の中で重要な意味を持つことは疑い得ないが、主舞台がごく辺境に位置していること、歴史上名を知られているような人物がほとんど登場しないこと、この二つのポイントからも、はてしなく地味な物語となることは容易に想像がつく。

また、右に示した史実に関して、昔から疑問に思われていたことが二つある。

一つには、九戸政実の奇跡に近い善戦ぶりである。秀吉軍の兵力数には諸説あるが、いずれにせよ最新兵器を備えた何十倍もの敵を、なぜ苦戦に追い込むことが可能だったのか。

二つ目は、GDPも低いに相違ないこの辺地を平らげるのに、一体どうしてこれほどの大兵力を結集して臨む必要があったのかとの疑問である。

そこにもう一つ付け加えるとすれば、季節性だろう。鎮圧軍の到着が旧暦八月。「葉月」とも言われるように、木々はすでに色づいており、初雪も遠くない時節。いかに大軍とは言え、本州最寒冷地に攻め込むには遅すぎはしまいか。九戸氏と九戸城を少々見くびってはいまいか。これが三つ目だ。

先行作を超えなければ書く意味がない

地味だ地味だと言いすぎたかもしれない。というのはこのネタは複数の有名作家によって取り上げられてきたからである。テーマとしては、やはり一地方豪族が孤立無援の状況で中央の圧力に屈することなく立ち上がったということ、また途方もない数の敵を籠城戦で手こずらせたことにあるようだ。

安部氏にとって、この戦さの勘所は、これらとは全く別のところにあった。なればこそ、同じ題材を扱いながら新たな一ページを開こうと決めたのであり、歴史を読む角度が少しでもダブって先行作品の屋上屋を重ねることだけは避けたかった。

先ほど挙げた三つの疑問だが、これらを解く仮説は、すでに著者のなかでほぼ完成していた。この仮説を作中に全面的に展開すれば、画期的な歴史解釈になろうし、そのことで読者をエンターテインすることにもつながるはずだ。しかし、小説の上でこの仮説を活かすにはどんな形が最も効果的か、そこを十分に検討する必要があった。

『カラマーゾフの兄弟』の大審問官

そのこととは別に、安部氏にはぜひ試みてみたいシーンがあった。かつてドストエフスキー作品の読書会に熱心に参加していた彼は、自作のなかに『カラマーゾフの兄弟』の第二部にある「大審問官」のシーンに匹敵するようなものを描き込みたいという願望を長いあいだ保ち続けていたのだった。

長男の九戸政実、次男の実親《さねちか》、三男の康実《やすざね》、四男の政則《まさのり》。この四兄弟には決して一枚岩とは言えない側面があって、そこを長兄が末っ子の手を借りながら結束させてゆくのだが、近づきつつある秀吉軍に対しどう打って出るのか、それとも籠城戦かといった戦術についての軍議の形を借りつつ、四兄弟の結束が深まってゆく流れを示す必要があった。

この流れが、やがて籠城戦の城中で、いわば密室のなかで戦わされる生死を賭けた議論として白熱してゆくのである。カラマーゾフ家の次男イワンが作ったという物語詩の中で、蘇ったイエス・キリストを論難する大審問官を、読者が思い出してくれるかどうかは別として、ともかくこのシチュエーションなら、かねてよりの願いが実現できそうだ……。

視点人物の選択はテーマとつながっている

さて、この作品は、そもそも誰の視点から描くのが最も適切なのだろうか。

視点人物は、著者が描きやすいからという理由を優先すると失敗しがちだ。まずは、テーマを反映させることに都合の良い視点の持ち主は誰か、というところから選定が始まる。

この作品の主人公は誰か、ということになれば、これはもう間違いなく九戸政実だろう。主人公と視点人物が同じというケースは非常に多いが、この作品の場合、いわば英雄である政実が自分の英雄物語を語るというのではは文芸作品にはならないはずだ。

そうすると視点人物候補から政実が抜ける。ここで先ほどの「仮説」の存在を思い出していただきたい。このことは作品の冒頭にも出てくるので勿体ぶらずに概説しておこう。

そもそも秋になってこの城を攻めるべく兵を進めた秀吉軍だが、これは来るべき文禄の役の戦場となる朝鮮半島の冬期の寒さを全軍に経験させるというミッションがあった。加えて、寒さに慣れた足軽や人足の供給源として、この北辺の人々が想定されていた――これが先に挙げた仮説の核心部分である。そして朝鮮出兵を見据えた対策を秀吉に進言したその主こそ石田三成だった、という点も安部氏の仮説のなかに含まれる。

石田三成に象徴される中央政庁のインテリジェンスが、この九戸城籠城戦に発揮されていたとするならば、この作品の視点人物が三成となる可能性だって理屈の上では皆無とは言えない。

もちろん、これは政実という武将の英雄譚でもあるのだから、中央政庁側に重心が置かれていいわけはない。そこで三成を、どんな形で登場させるか、その形を決めなければいけなくなる。

都を知る者の視界

はるか大坂城の三成を主軸とする諜報活動が描かれるならば、九戸城側、つまりメインスタジアムでの視点人物は自動的に決まってくる。末弟の政則である。

なぜかと言えば、彼はかつて僧侶として都で生活していたからだ。それが二十九歳のとき長兄によって還俗させられて南部地方に戻って来たのだ。現在三十七歳。

田舎の武将たちにとって、都に関する知識、中央政庁の動きを読むなどのインテリジェンス能力は計り知れないほど大きい。平時なら嫉妬の対象だが、今は有事。若い政則でも頼りになる存在なのだ。

これはテーマの方向からたどり着いた結論だが、もっと物理的な方向から考えても政則は視点人物の条件を満たしている。題材となる事態のすべてを、生きて見届けられる人物であること。加えて『カラマーゾフの兄弟』に通底する四兄弟の密室討議の参加者であること。

ただ、こうした歴史時代小説では、英雄的な主人公、ここでは政実だが、その小姓や従僕といった、すぐそばに仕えていて主人公を最後まで見守っている人物が視点となるケースが多く、この作品でもそうする可能性は残されていた。しかしながら「密室討議」が重要なプロットであるわけだから、四兄弟以外の人間が入り込めなくてはシーンが成立しない。

従って、メインとなる視点人物が政則であることはもう動かない。

白熱する議論を叙述するための視角

さて、その密室討議である。

政実は九戸家と四兄弟を主導してゆく立場にあり、秀吉軍来襲に当たっては籠城を選択することが最終的に領民を守ることにつながると読んでいた。そこから逆算するかたちで敵に罠を仕掛け、その上で厳寒の冬を待つ。政実は四兄弟の間でこうした合意が自発的になされなければ凡てを失ってしまうと知っていた。

そのインテリジェンス感覚に満ちた道筋が頭に描ける政実の目線で、果たしてこのシーンを魅力的に書けるものだろうか。いったん立ち止まって、この一点を考えておきたい。

彼は、いわば初めから「正解」を知っているのだ。議論になっても、どうあがいたところで上から目線になってしまうのではないか。弟たちの誰が自分の戦略について来られるか、醒めた眼でそれを観察する恰好になることは避けられまい。

これでは議論がどこに転ぶのかという臨場感が出せなくなりそうだ。ならば政実が視点人物となるわけにはゆくまい。また、戦が済んだ後の南部に最後に触れようとしても、政実はすでに首と胴体が離れているからそれが出来かねるという事情もある。

政則のように「正解」を知らない人物でないと議論の行方を追う眼にはなれないし、もっと大きく言えば物語の眼としても機能しない。政実の要請で京都から帰郷し、若い身ゆえ尊敬する長兄に付き従っている政則こそが、二重三重の意味で視点人物に相応《ふさわ》しいということになるだろう。

その場に登場しない三成の「視点」

では先ほど問題にした石田三成の視点はどこへ持ってゆけばよいのだろうか。

彼の視点で大坂や都の情勢が語られ、五大老や五奉行たちの言動が描写されると、これはどうしても豊臣政権中心の物語にならざるを得ない。それほど中央の引力は強いのである。描写すべきものが、南部地方とは比較にならぬほど多いのだ。

そうすると、三成自身が作品全体を通して登場することは控えなければならない。安部氏はここで、三成には「書状」の形でお出ましいただこうという方策を打ち出した。近代小説では小説の中に別の小説を入れ込む「入れ子構造」が時折見られるが、手紙や手記などの「ドキュメント形式」も広く言えばその一つである。

三成の筆になる書状が各章の一か所に、ある種のパターンとして挟まれれば、読者の注目度も高まるし、小説全体が別の視角を得たような感触になるだろう。やや大袈裟だが、その場合、政則の他にも視点人物が存在する、三人称多視点小説の魅力を備えていることになるかも知れない。

ドキュメント挿入形式を採った効果は二重の意味で大きかった。というのは、地の文とニュアンスを全く異にした、意味ありげな文章が、読者を刺激しただけでなく、この手紙の送り主と届け先に関する謎を読者に投げかけたのである。

そう、まずは書き手の名を伏せる形をとったのである。そうしておいて、読者がそろそろ三成の書いた書状だったと気づくころに、手紙文とはうって代わって、今度は秀吉と三成の対話をもってくるなどして、これらドキュメントによる小さなインターミッシヨンを「中央からのインテリジェンス」という位置づけにしたのだった。

視点人物と文体、ドキュメントと文体

常に手紙文ということになると、その内容の工夫にも限界があるため、対話などの形式も採用したのだが、ドキュメントの種類によって文体を変える必要があるのは当然のこと。歴史時代小説となると、手紙文でも相手との身分差がまず問題となろう。秘密情報を互いに交換する場合は、符牒を使ったり、双方が前提としている件には触れずに済ませるなどの工夫を施す必要がある。また間諜に盗まれて読まれるのを前提に、敵方に仕掛けてゆく謀略を含んだ通信文も面白いはずだ。

それらドキュメント類の文体が地の文とさして変化がないといった作品が存在するとは思えないが、そもそも、視点人物による描写はその人となりを表すから、小説全体を支配する文体があってこそ、ドキュメント固有の文体も生きてくるのだ。

『冬を待つ城』の視点人物は政則であるが、都を見知っている者のセンスや、僧侶だったことに由来する思弁的な側面、そして何より若く柔軟な頭脳が、地の文に十分反映されるべきであるのは当然のことだ。また、キャラクターが最も反映されやすいのが会話

文だが、複雑な構造の小説では得てして説明のために会話が費やされやすいので要注意だ。

視点人物だからといって、何もかもをその視野に収め、つねに分析を怠らないでいる、というのも異様である。むしろ、相手のもたらす情報にしばしば混乱して、何度か問い返すくらいがちょうどいい。こう言えばひどく難しく聞こえるかも知れないが、あるときは過度に敏感で、あるときはひどく鈍感で、平均してみるとバランスが取れている、それくらいが長丁場をこなす視点人物には相応しいものだ。

読者をどうツカむか

さて、主たる視点人物は九戸政則なのだが、この作品の冒頭＝序章では、石田三成の視点が用いられている。文禄二年の年明けの漢城（今のソウル）が舞台だ。

朝鮮半島に出兵して、最初は負け知らずで怒濤の進軍となったが、ここにきて雲行きが怪しい。石田三成が町を取り囲む城壁の上に立ってあたりを眺めている。眼下の漢江《ハンガン》では凍結した川面を荷馬車が列をなして渡ってゆく。

序章のさらに冒頭は、ともかく寒さが強調されている。どの描写からも冷気が滲みだしてくる。こうした中で朝鮮軍の反攻が始まり、日本軍は伸び切った戦線を多方向から突かれて退却を余儀なくされ始めているのだ。

凍土を背景として三成は独言する。「あの男の計略に最後まで気付かず、まんまと罠にはまった我々がうかつだったのだ」と。そして天下の軍勢十五万を手玉に取った男の名が明かされ、短い序章が閉じられるのだ。

読者はその名、九戸政実を聞いても、誰のことやら分からないが、石田三成のような知将を手玉に取った凄いヤツなんだということだけは、その胸に刻まれることだろう。

また、この作品のテーマや歴史の新解釈についてはすでに書いたが、この序章でも、予備知識のない読者に詳しい説明抜きで、三成がテーマに則して激しく慨嘆する数行がある。ここを読んでも、まだ冒頭ゆえ背景も何も正確にはつかめないが、むろん目的は別にある。九戸政実というまだ見ぬ戦略家を、スケール感をともなって読者に想像させれば十分なのである。

これでツカミの役割は無事はたせた。

現在進行形で描くタームを短くする

この小説が扱っている現在進行形のタームは、二年と少しである。歴史時代小説としてはかなり短い方の部類に入るだろう。もちろん回想の形で過去の場面は出てくるが、「この小説の現在」ということになるとこの期間となる。

作中最大のイベントは、秀吉軍十五万と九戸城に籠城した将兵三千との戦さであるが、序章を過ぎると、この戦さはさして遠くない未来の出来事として射程内に入ってくるのだ。サスペンス感を重んじる作者だと、メインの事件を描く際のタームを可能な限り短く設定するものだ。名手・佐々木譲氏の『代官山コールドケース』では、何と四十時間と記録的な短かさである。

歴史時代小説だと、なかなかこうはいかないものだが、こうした大会戦を扱う作品としては最短なのではないだろうか。

かつての大河ドラマ風な書き方だと、例えば戦国武将ならば、その誕生から戦場での敗死までを現在進行形で追ってゆくということも珍しくなかった。しかしこれは小説と言うよりも史伝と呼ぶべきである。小説ならば、テーマの展開のため人生史のどこにスポットを当てるべきかを考えて臨むべきで、そうすることで面白さを凝縮しようというのが当世風のやり方だ。

「かつての大河ドラマ風」だと、時系列が動かされることなどあり得ない。ただまっすぐに延びる一本道をゆくだけだ。

『冬を待つ城』の場合、ツカミのシーンの時制は一五九三年初頭。物語の末尾よりも一年以上後のことである。つまり、最大のイベントが終了した時点から、物語を開始しているわけだ。

時系列を動かす

わざわざなぜこんな時制《テンス》の逆転を行ったのか、改めて考えてみていただきたい。

中央政庁の有名人・石田三成を、朝鮮半島の漢城という舞台に登場させることでツカミとしたことは、すでに指摘した。しかし、これに付け加えるべき重要なポイントがある。それは、九戸政実が、一般読者にとって馴染みの薄い人物であることだ。メインスタジアムの土地柄も含めマイナー感は否めない。

この不利な条件を克服するために、ひとつには中央との関係性を、書状などを使ったインターミッションで強調することが策定された。いまひとつが、時制の逆転である。

石田三成を手玉に取った凄いヤツとのイメージを読者に植え付けるには、この方策がうってつけだったのだ。

同時代性は「ほの見え」程度がベスト

歴史時代小説家たちは、目下取り組んでいる小説の題材を、わが事のように、そして今現在起こっていることのように見る精神の持ち主だと思う。しかしその題材を現代の何物かに寄り添わせることで、安易に同時代性を打ち出そうとするのは却って危険であると既に書いた。

『冬を待つ城』では、数十倍の兵力を持つ秀吉軍を相手の籠城戦について、強大なロシアを相手に奮戦するウクライナを思い浮かべる人もいれば、かつて全世界を相手に最後の三か月ばかりを戦った大日本帝国を連想する人もいようが、私の場合、連想するのは日露戦争における帝国陸軍であり、新田次郎『八甲田山死の彷徨』に描かれた雪中行軍である。

この作品は、勝つあてのない籠城戦の意味について問いかける中でテーマが思いもかけない方向に発展してゆき、三成が立案した、寒冷な朝鮮半島に侵攻するための訓練と徴用計画に対抗するための唯一の方策が籠城作戦だったという結論に到達する。

三成プランは政実の策略によって結局実行に移すことが出来なかったわけだが、この訓練計画は日露戦争前に弘前連隊が八甲田山で行ったことと少なからぬ共通点があるではないか。

こうした近現代史の中に、「そういえば似てるかも、うん、似てる似てる」といった有名な事例があるとシメたものである。名作というヤツは、得てしてこういった同時代性を引き寄せる力を持っているものだ。

歴史に深く入り込んで小説を書く場合、出来が良ければ良いほど、近現代史との共通点が見えてくることが多い。それは、「普遍」に近づけば近づくほど、それが現代においてもどこかに頭を覗かせているからではないのか。

複数のファクターが連動しつつ決まってゆく

視点人物を誰にするか、それは一人なのか複数なのか。一人称と三人称のどちらがこの作品に相応しいのか。テーマの深化を演出するためにどんな構成にすべきなのか。話の順序をどうすれば面白さを最大化できるのか、つまり、時系列をどう動かすべきなのか……。

一人の作家が新作を構想するときの手つきを見ていったわけだが、例えばツカミを考えて時系列を動かせば、自ずから構成が変わってくるように、一つのファクターが決まれば芋づる式に他のファクターも決まってくることがご覧いただけたのではないだろうか。

小説とは、たんなる器ではなく、ひとつの生物体なのだ。だからいろんな臓器が内部で連動しているのだし、どこかに大きな欠損が生じると生きていられなくなる。

ここで扱ったのは歴史時代小説であるが、この分野は多大な情報からプロットを組み立ててゆく必要があることに加えて、歴史的事実の制約に常にしばられている。しかしながら、そのことが歴史時代小説という生物体の個性なのであり、制約の多さゆえに面白い創作を産むことがあることは御存知のとおりである。

コラム　べからずの部屋　その⑤「会話文のパターン化」

話者の人物造形を反映した口調やボキャブラリーにすることは会話文の基本であ

り、話者ごとに文体があると言っても過言ではないだろう。語彙の多寡、語調の硬軟など、様々なヴァリエーションを工夫することになるが、話者の口調を人間関係の変化やシチュエーションに対応させることも大事な要素だ。小説の展開に従った細工をそのつど会話文に施さなければならないということでもある。

しかしながら、実際には、キャラと会話文の口調の関係が固定化していることが多い。キャラも変化するし成長もする。人間関係だって上下、敵味方が逆転することも多いはず。それを口調に反映できなければ不自然である。

また、笑い話めいて聞こえるが、作中に高齢の男性が登場すると、彼はしばしば文末に「じゃ」がつく岡山弁らしき「老人言葉」を話し出すことが今もって多い。東京の男性も七十歳を過ぎると急に岡山弁になるとでも言うのだろうか。現実には男女の言葉選びに性差がほとんどなくなってきているのに、小説となると奇妙なくらいに女言葉を復活させたりするのは何故だろうか。どんなに現在進行形の新しいテーマに取り組んだとしても、こうした古来のパターン認識が会話文に染みついていては、テーマそのものに疑問符がつけられても仕方あるまい。

最終章　小説の海に北極星はあるのか

小説に「たくらみ」を呼び戻せ

小説を書くという行為は一つの企てであり、企てである以上そこには企みがなくてはいけない。決して「究極の自己救済」の延長線上にあるものではない――そう感じていただけなかったら本書の目論見は失敗に終わったことになる。

競争を勝ち抜くといった目的があってそう言うのではなく、小説というもの自体が企みの集積だからである。わざわざ企まなければいけない第一の理由は、小説の部品すべてが「ウソ」だからに他ならない。あらゆる部品が組み合わされて初めて、現実を超える「マコト」が立ち上がるのだ。本書で部品のアセンブリーのあり方について執拗に論じたのはそのためだ。嘘をつき通すには精妙なロジックが不可欠であることは周知のごとくである。もし、あなたの小説に企みが足りないと言われたなら、それはウソが下手だ、ウソの辻褄合わせがなっちゃいないという意味だと受け取った方がいい。「プロット」とは本来「企み」のことだから、あなたはプロット力の弱さを突かれたのだ。

近ごろの小説は、この企みの精妙さにおいて進化したかもしれないが、企てとしてのスケール感はうんと小さくなったと思う。ビッグ・マウス（ホラ吹き）の作家が少なくなったと言い換えてもいい。

徳川家康を影武者にしてしまった隆慶一郎（『吉原御免状』および『影武者徳川家康』）、ゼロ戦をベルリンまで飛ばしてしまった佐々木譲（『ベルリン飛行指令』）。壮大な時空を扱わなくとも、北村薫は十七歳の女子高生を一瞬にして四十二歳に変えてしまった（『スキップ』）。これらはみな、二十世紀末に日本人作家が吐いた精妙かつ馬鹿でかいウソである。

ビッグ・マウスが描いたビッグ・ピクチャーが少なくなったのは時代のせいなのか。『三体』（劉慈欣）のような小説は現代中国でこそ可能で、今の日本で生み出すのは無理なのか。

いやいや、そうではあるまい。

私は、日本人がここ四半世紀ほどの間に、知らず知らず身につけてしまった小説観が、日本の小説を矮小化に向かわせたのだと考えている。作家と編集者と文芸記者、そして真面目な読者が作り出した共同幻想とは何か。


「小説にしかできないこと」を作家は求めすぎる

現代小説は、小説以外の色んなジャンル、例えばＳＮＳやゲーム、現代アートといったものを採り入れて、時代の空気を反映しつつ成長している——のだろうか？

私はそうは思わない。ＳＮＳを超えるようなＳＮＳ小説や、先端的ゲームを超えるようなゲーム小説など生まれるわけがないのだ。そもそも鑑賞する者に長大な時間の消費を強いる言語芸術であるから、ごく短時間で楽しめるメディアの真似事をしても、本家本元の足元にも及ばないのが実際のところだろう。

もっと小説には、融合しやすい分野がたくさんあったはずだ。分かりやすすぎる例だが、まず思い浮かぶのが人生哲学。一昔前の小説には必ずこれが諄《くど》いくらいに語られていた。現代の先端をゆく若手作家の作品が、実人生の空虚ゆえにか、意外に幼すぎる人生論しか持っていないのに対して、一九七〇年代までの「大人」の小説では、ウザいことを抜きにすれば、相当ひねこびた人生哲学が開陳されていたものだ。

社会主義やキリスト教といった政治信条や信仰を、小説の形をとって世に訴えることも盛んであった。主人持ちの小説、プロパガンダ小説と批判を浴びつつも、事実として多くの真面目な読者を獲得していた。

小説という器が取り込みやすく、かつテーマの展開にダイナミズムを与えるのは、SNSを始めとする小説以外の「メディア」などではありえない。小説以外の簡便で安価なメディアと同じトラックで走れば負けるに決まっているし、小説がテレビの真似をする時代もとうの昔に終わっている。

小説という長尺のメディアに相応しい分野は、先ほどの「人生哲学」を含む哲学系であり、自然科学や社会科学のような専門性の高い研究であろう。警察捜査や司法も小説と相性がいいが、前者などは映像と入れ食い状態になるほどの隆盛ぶりで、小説の分野としてはピークを過ぎつつある。

なぜそうした分野が小説と相性がいいかと言えば、答えは簡単で、いくらでも深掘りがきくからである。テーマの何段階もの深化に寄り添えるだけの、井戸の深さをもっているからに他ならない。

「全体小説」という文芸用語を憶えておられるだろうか。登場人物の会話や一挙手一投足が作品全体と密接に絡み合っている、つまり人間を、それを取り巻く現実の一切とともに全体的に表現しようとする文学テーゼである。野間宏は、戦争、差別、性、家、宗教、死、個人と国家といったあらゆるモチーフを『青年の環《わ》』に込めたのだったが、これを二十一世紀の現代において試みているのが高村薫氏であることは、案外知られていない。

『晴子情歌』に始まる三部作や『土の記』が全体小説であることに疑問の余地はなかろうが、高村氏の作品はデビュー以来ずっと全体小説なのであり、文芸マーケットでミステリー&サスペンスに分類されたとしても、このことは動かない。

差別や死、性や政治といった個々のモチーフは小説でなければ捉えられないものでは決してない。ただしこれら全体がつながって一つの世界が示されるのが全体小説だ。その意味では、何もサルトルの提唱を経なくとも、トルストイやドストエフスキー、ロマン・ロランやスタンダール、ディケンズやスタインベックなどは全体小説の精神から遠いものではなかったはずだ。

現代作家は小説にしか出来ないことを追求しすぎてはいまいか。でなければ、他のメディアとお門違いの競争をしてはいないだろうか。お門違いのメディアのやり口を真似たりする作家が多いからこそ、「小説にしか出来ないこと」を追求しましょう、という掛け声が結果的にわき起こるという道理なのかもしれない。

哲学や倫理学、あるいは政治学、経済学で扱うネタを、小説家がテーマとして独自の見解を開陳するのは不純なことなのか。小説のジャンル的純粋さがそれほど大事なのか。私に言わせれば、小説って元来「不純」なものである。

先ほどタイトルを挙げた『三体』には科学と哲学の融合が見られたし、剣豪小説に分類される『吉原御免状』では差別の発生をめぐる日本史の総ざらえが読みどころだった。また『ベルリン飛行指令』の基盤には近現代史家をハッとさせるような発見があり、ゼロ戦の航跡はそのまま国際関係論なのだった。

そもそも小説の扱う素材は俗世間の現実であって、音楽や美術のように純粋な音や光の単位に還元できる世界とは根本的に異なっている。そんな俗＝セキュラーそのものであるはずの小説が、純粋なものを志向するって可笑《おか》しくないか。自家撞着への第一歩ではないのか。音の単位に還元される音楽の真似をして、文学が言葉の意味論に近づいたり、表現論、機能論を先行させたりするようになっては、小説はもうお終いだ。

純粋になることの危険

小説のなかで、わけても純粋なものを、日本ではいつからか純文学と呼ぶようになった。私はこの呼称が好きになれないが、近年のいわゆる純文学雑誌を見渡してみると、「実験的」な作風の小説が多くなったことは間違いない。

一九六〇年頃の雑誌「新潮」や「群像」の目次を目で追うとき、例えば三島由紀夫の長編小説がこうした純文系雑誌で連載されていたことに改めて驚かされる。名高い『金閣寺』は「新潮」誌上に連載されたものだが、実際の放火事件に材を採ったものであることは御承知のとおりである。

三島作品には『宴のあと』(「中央公論」連載)、『絹と明察』(「群像」連載)のように現実の事件、実在する組織をモデルにしたものが多い。文芸の華やかなりしこの時代の小説観では、今ならエンタメ作品に分類される可能性の高いものも純文学だったのであろう。

それが様変わりしたのはいつ頃からだったろうか。芥川賞が自伝的青春小説に傾いて『されどわれらが日々──』『九月の空』『螢川』『僕って何』等のベストセラーを産んだ高度成長時代末期、この頃に学生生活を送った経験では、変化の兆しなど全く感じなかったものだ。しかし二十世紀後半の世界の文学状況はすでに変わり始めていたものらしい。

現代文学は、ジェームズ・ジョイスやウィリアム・フォークナーの実験を追試するような手つきで、伝統的な物語の規範を破壊してやまない。

渡辺京二氏はマルグリット・デュラスの『ラホールの副領事』を評して次のように述べている（『私の世界文学案内』）。

「現代小説の多くは、このように、つまり、薄暗い映画館に紛れこんで映画を途中から見始めたように、始まる。最初のうちは何が何だかわからず、フィルムの中に入りこめないのだ」

伝統的な物語の「型」を壊した実験的な作風のもたらす空気を実にうまく表現したものだと思う。一般読者が、これら前衛的作品の多くを途中で読み捨ててしまうのは、それらが難解なせいでは必ずしもない。むしろ、ひたすら退屈だからだろう。

しかしこの文学的実験の手法が、殺人事件のトリックとして用いられたらどうだろう。

読者は、見慣れない叙述のどこかに隠されている殺意を探すことに夢中になるかも知れない。また、主人公の属性を、その初登場時点で開陳することに熱心でないのが現代エンタメ小説共通の描き方だけれど、『ラホールの副領事』の冒頭が、視点人物らしき者についての情報を欠くために読者に大きな負荷をかけるのと違って、殺人事件に深く関係した主人公のキャラクター開陳を遅らせることで読者を焦《じ》らし、読者もその負荷を楽しむことになるだろう。

つまり「前衛」は読者の退屈を気にかけたりしないが、「エンタメ」にとって読者を退屈させることなどあってはならないから、同じ「実験的手法」であっても、見せ方は正反対になるというわけだ。

純文学が発想しエンタメが完成させる

一般的に、日本で「純文学」と言われる前衛的なカテゴリーに属する作品の方が、文学的な新しい試みをすることが多い。それは世界的な現象である。

例えば、ある小説の中にもう一つの小説が物語られるという手法は、二十世紀の世界文学ではよく見られる手口にすぎないが、日本近代の娯楽小説ではなかなか一般化しなかった。寝転んで読む物語としては難しい感じがして試みる作家が稀だったのだろう。日本のミステリーのレベルが欧米に比肩するようになった一九九〇年代初頭に至って初めて、一つの小説の中に特別な意図を込めて作中作やドキュメント類をビルトインする手法が一般化したようだが、これらが純文学作品と違っていた唯一のポイントは、面白いという美点を備えていることだった。

純文学が新しい手法を編み出す。その新しい試みは、しかし純文学のままでは多くの読者が楽しむには至らない。そこに社会性の裏付けが決定的に欠けているためだ。そこでエンタメ作家が登場し、同じ手法を使いながら面白く仕立てて、完成品をより多くの読者に提供する——こんな流れが、近現代の小説界に起きているのではないだろうか。

純文学でベストセラーとなるものは、案外伝統的なスタイルのものが多い。新しい手法を用いた作品はむしろ敬遠される。しかしながら純文学が用いた新しい手法をエンタメ界が再発見し、リアリズムの肉付けを施した上で、より可読性が高く読者を退屈させない作品に仕立て上げているとすれば、これは分業の素晴らしい事例ではないだろうか。この乱暴な結論を聞いて、どちらの陣営の怒りがより強いかインタビュー取材してみたいものだ。

型を壊すためには

小説って何でもありだから、と物語の女王が言う一方で、エンタメ小説はこう書け、クライマックスは三度設けろ、などと「型」を説く大家もいる。作家になることを目指している人たちは、いったいどっちを頼りに精進すればいいのか迷うことだろう。

私がこれまで書いてきたことは、伝統的スタイルをまず身につけてから「新しいスタイル」の創造を目指そう、という基本精神に基づくものだ。現代には、身体《からだ》が出来ていないのに口ばかり達者な輩が多すぎる。身体づくりが決定的に足りていない。

これは「型から入る」という日本の伝統芸能の精神と似ているし、舞台をやっている人々がよく口にする「身体は嘘つかない」という言葉と基盤は同じである。

型を壊すためには型を知っていなければならない。いくら新しい趣向を凝らそうとしても、どこをどう壊すべきか分からぬようでは手もつけられないはずなのだ。

世界の近現代文学は、確かに伝統的小説像を壊してくれたが、その一つ一つの廃墟からどれだけの後継者たちが生まれて来ただろうか。この点はとても疑わしい。まだまだ、伝統のどこを壊そうかと探し回っている段階なのではないか。

その意味でも、やはり一番大切なのは、身体でもって「型」を完成させることだろうと私は思う。その完成段階から「小説は何でもありだから」が始まるのだろう。

第二章でBCG（ボストン・コンサルティング・グループ）が語る近未来の経営戦略に触れた。その一つが「先が読めないことを前提としたマネジメント」であることに私は衝撃を受けたのだった。

先を読んでクライアントに示唆を与えることを生業とする会社が、その責務を放棄したようにすら感じたのだが、リスク管理や戦史の研究によく使われる「コンティンジェンシー」の概念と同じことだと考えれば納得がゆく。「想定外のことが起こるのが日常化する時代」を生き抜くための経営術、ということなのだろう。

小説家にとって描くべきテーマが目白押しの時代がやってきた――BCGの言う「パラダイムシフト」を文芸世界に当て嵌めれば、そういうことになるはずだ。小説は本卦還りして、「テーマ」こそが最も大事な時代がやってきていることを指摘したが、読者も作家も、これまでに見たこともないような地平に立つべきだし、またそれが出来ないのなら、二百年以上続いた近代小説の歴史にもエンド・マークがつくことになろう。

テーマ追求のためには、ともかく興味ある分野に詳しくなることだ。よく「常にアンテナを張っておく」といった実態のない曖昧表現がマスコミ塾などで使われるが、ジャーナリスティックな感性を高めることなど個人の努力で出来るわけがない。それよりも得意分野を複数作ることだ。この分野なら誰にも負けないと胸を張れるもの。自分のものとなったそれらの視角が複数集まり、時間の積み重ねと相まって「積分」的な思考が生まれるのである。それはむしろジャーナリスティックな「微分」的思考と正反対のベクトルを持っているはずだ。本章冒頭で「全体小説」を引き合いに出したが、これも当然ながら積分系の発想を持つテーゼである。

昨日までの日本は、悪い意味で安定期にあった。安定的衰亡期と言い換えたほうがいいかも知れない。その世界観では、小説やその他の学芸分野が大きな統合（積分）に向かうことはない。より安易な方向へ統合される流れならあるだろうが、ともかくエッジの立った物が生まれる環境にはなかった。しかし、疫病と戦争がそれを一気に吹き飛ばしてくれるだろう。

その災禍に耐性を示すものは、純粋でなく不純な、微分的でなく積分的な、細分化でなく総合を志向する精神であるような気がする。

あとがき

「人の鞶鞶を買うことが出来なきゃあ本物のジャーナリストとは言えない」

かつて「週刊新潮」の編集長だった松田宏氏は事あるごとにそう言っていた。本書は十分に読者の皆さんの鞶鞶を買えただろうか。ジャーナリズムの欠片《かけら》にすら成ることなく鞶鞶だけ買っていたら、と少しだけ心配である。

「新潮講座」で私が小説の書き方講座を担当させていただいてから、足掛け十年、なのだそうだ。私はまだ六、七年くらいのつもりでいたので、密かに驚いてしまった。

そろそろ定年かという時期に始めたせいか、毎月のノルマを果たした夕方には貧血を起こしかけたものだ。高校生のとき体力検定二級（結構レア）を自慢にしていたくらいなのに、である。

講座を担当するに当たって、どうせやるのなら「方法論」を追求したい、と大それたことを考えた。他の小説講座で方法論を正面から扱っているものが皆無に近かったからである。

わが国には文化芸術方面で、誰でも安価かつフェアに技術を学べる、マイスター制度みたいなものがない。家元制度があるじゃないかと反論するむきもあろうが、あれは徒弟制度の名を借りたネズミ講だ。日本経済が低空飛行すればするほど集金システムだけが露呈してくる。しかも「お家」の隠し持つ秘伝のタレみたいな技法が、出し惜しみのように僅かずつしか提供されない世界。

なぜそうなるかという理由の一つが、講師三年目くらいから身に沁みて分かってきた。要するに方法論を体系化する試み自体が相当に面倒なのである。脳内がしばしば混乱の極みとなってブラックアウトしそうになる。これが一か月に二度起こるのだ。こんなことなら、新しい流派を起こして「家元」になるんだったと後悔しきりである。

アメリカの大学には創作学科というのが時々設けられていて、ひどくお金のかかるために坊ちゃん嬢ちゃんしか入れず、その時点ですでにフェアではないのに加え、その出身者が有名作家になった例をあまり知らない。

そこへ行くと、日本人の作家デビューは多くの新人賞によって果たされるため、門戸はフェアに開放されている。他方、訓練のメソッドについてはあまり整っているとは言い難い。

そこで私は、貧血の克服と方法論の体系化を同時に行おうと試み、やがて数年が過ぎた。本書はその戦果の一部であるが、まだまだ道半ばどころか、東海道で言うと箱根の上り坂を前に団子を食っている最中という感じだ。

脱稿ののち、特に宮部みゆきさんと安部龍太郎さんの作品については私の独断が過ぎた気がして、ご本人たちにチェックしていただこうかと一瞬迷ったが、あくまで一読者としての私見を優先させていただこうと思い直した。編集者は作家によって育てられるもので、本書に登場していただいた作家の方々すべてに感謝申し上げます。

この先、書きたいものがあるかと聞かれたら、『百年の誤読』や『男流文学論』みたいなものを、一人で書きたいと思っている。長生きしたらの話だが。

「新潮講座」は飯島薫氏の導きによって参画することになり、開講から数年にわたってお世話になった。そのあとを受けた松原亜希子氏には、現在も尻を叩かれ続けている。飯島氏が本書の父であり、松原氏は母である。

若井孝太氏には特に海外文学について突飛な質問を浴びせ、佐々木勉氏には小説の五大要素について教示をいただいた。堀武昭、西村博一、鮫島和歌子氏には、講師になりたての頃、不得意分野に関してのご意見をよくいただいたものだ。

私市憲敬氏には本書刊行の提案者として感謝申し上げたい。大畑峰幸氏には執筆のきっかけを作っていただいた。また本書の担当編集者である大古場春菜さんには特にご面倒をかけた。有難うございました。

「新潮講座」は今春終了し、この秋、全面オンラインの「新潮社　本の学校」としてリスタートする。私も引き続き、小説講座を受け持つ予定だ。

今春まで対面式で行われていた私の小説講座の受講生の皆さんとの、原稿を介してのやりとりには、蒙を啓かれることしばしばであった。六十代になっても人間は成長する余地が残されているんだなと、我ながら感心したものである。皆さん、心から感謝してますよ！

二〇二二年八月　著者

佐藤誠一郎　1955年生まれ。編集者。東大文学部卒。新潮社入社後、「新潮ミステリー倶楽部」他３つの叢書を手がけるとともに、５つの文学新人賞を立ち上げた。第１回赤ペン大賞受賞。

Ⓢ新潮新書

967

あなたの小説《しょうせつ》にはたくらみがない
超実践的創作講座《ちょうじっせんてきそうさくこうざ》

著　者　佐藤誠一郎《さとうせいいちろう》

2022年９月20日　発行

発行者　佐　藤　隆　信

発行所　株式会社 新潮社

〒162-8711　東京都新宿区矢来町71番地
編集部(03)3266-5430　読者係(03)3266-5111
https://www.shinchosha.co.jp
装幀　新潮社装幀室

印刷所　錦明印刷株式会社

製本所　錦明印刷株式会社

ISBN978-4-10-610967-6　C0295

価格はカバーに表示してあります。